EVITAR LAS CRISIS DE ANGUSTIA Y DE PÁNICO FÁCILMENTE

Christophe Tissier

terapias**verdes**

Título original: *Réduire les ondes électromagnétiques, c'est parti!*
Editor original: Éditions Jouvence, Saint-Julien-en-Genevoix, Francia,
Genève, Suiza
Traducción: Amelia Ros García

1.ª edición Septiembre 2017

ISBN: 978-84-16972-20-3
E-ISBN: 978-84-16990-76-4
Depósito legal: B-16.842-2017

Fotocomposición: Ediciones Urano, S.A.U.

Impresión: LIBERDÚPLEX
Ctra. BV 2249 Km 7,4 – Polígono Industrial Torrentfondo
08791 Sant Llorenç d'Hortons (Barcelona)

Impreso en España - *Printed in Spain*

El autor

Christophe Tissier se ha formado en Coaching en la HEC (Escuela Superior de Comercio de París), así como en biorresonancia, luminoterapia, reiki y Quantum-Touch (toque cuántico), una técnica de curación basada en la energía, que nació en Estados Unidos. Desde hace años, trata a pacientes y enseña terapias energéticas en su gabinete de Le Mans (departamento de Sarthe). De este modo, acompaña a las personas que sufren física o psicológicamente y forma a quienes desean ayudar a los demás, al tiempo que a ellos mismos, a encontrar el bienestar, mediante distintos métodos energéticos como el reiki.

¡ATENCIÓN

Este libro responde a la siguiente pregunta: ¿cómo eliminar rápidamente las crisis de angustia y de pánico? Todas las personas que las han sufrido, **como era el caso del autor hace veinte años**, o que las sufren en la actualidad, saben que se trata de un enemigo invisible, difícil de combatir y de comprender, incluso para el entorno más cercano. Tan repentinas como imprevisibles, las crisis son horrorosas: miedo a desmayarse o a morir, temblor en las piernas, vértigo, sofocos, taquicardia…

Esta obra contiene un plan de acción en 6 etapas, claro, sencillo y concreto, con consejos y ejercicios fáciles de aplicar, que te permitirá recuperar rápidamente tu vida anterior. Este libro se dirige a todas las personas que sufren crisis de angustia, sea cual sea su nivel de gravedad o su antigüedad —desde ayer o desde hace años—, así como a quienes desean comprenderlas mejor y acompañarlas hasta su victoria.

Me llamo

....

y me comprometo a

....

....

....

A partir de mañana, mi vida cambia para bien,
tomo las riendas, lucho y venzo mis crisis
de angustia y de pánico.

Índice

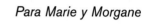

Para Marie y Morgane

Introducción

«La conquista de uno mismo es la mayor de las victorias.»

Platón

Conduces por la autopista, solo o acompañado. Hace un día estupendo. El tráfico es fluido. Suena tu música preferida en la radio. Todo va bien. De pronto, sin motivo aparente, sientes que te invade una intensa sensación de vacío. Se te nubla la vista y la cabeza te da vueltas. El corazón se te acelera y la respiración se vuelve entrecortada. Estás sudando y solo deseas una cosa: ¡parar el coche! El primer pensamiento que te viene a la mente es que te vas a morir o a desmayarte al volante y provocar un accidente. Tu único objetivo es, ante todo, no chocar con otro vehículo ni matar a nadie, en especial a los pasajeros que te acompañan. Buscas por todos los medios detener el coche: en el peor de los casos, en el arcén; en el mejor, en un área de descanso.

Estás en plena crisis de angustia.

Por fin paras el coche. Parece increíble, pero estás vivo y no te has desmayado. Cuando sales del vehículo, empiezas a sentirte mejor.

Sin embargo, la pesadilla continúa. ¡Menuda catástrofe! Si estás solo, te das cuenta de que debes ponerte de nuevo al volante para salir de allí. Empiezas a sudar... y comienza de nuevo el círculo vicioso. Los síntomas que crea tu mente (los veremos más adelante) te hacen sentir aún más ansiedad.

Entonces llamas a un amigo, a un familiar, a los bomberos o al SAMUR, con el objetivo de encontrar a alguien que te lleve a casa y poder consultar cuanto antes con un médico. Desde lo que estás seguro es de una cosa: nunca volverás a circular por esa carretera y, en consecuencia, por ninguna autopista.

El mecanismo infernal se ha puesto en marcha.

En cuestión de segundos, has pasado de la serenidad total a un estado de estrés que escapa a la razón.

Si vas acompañado, las otras personas se preguntarán si has perdido la cabeza o se angustiarán también. ¿Cómo explicarles que sufres una dolencia que no se ve? En ese momento, es imposible, a menos que hayan experimentado alguna crisis de angustia.

Según la Anxiety and Depression Association of America (Asociación Estadounidense de Ansiedad y Depresión), el 18% de la población de Estados Unidos, es decir, 40 millones de personas, sufren trastornos relacionados con la angustia y 6 millones tienen crisis de pánico. En cuanto a la población infantil, 1 de cada 8 niños presenta desórdenes relacionados con la angustia.

Como puedes comprobar, no estás solo. En este momento, millones de personas en el mundo experimentan las mismas emociones perturbadoras que tú. Te enfrentas a un importante problema de salud pública. Sin embargo, aunque esta patología podría calificarse casi de «corriente», los medios para remediarla suelen ser desconocidos, sobre todo si se desea completar el tratamiento médico clásico con terapias alternativas.

A partir de ahora, te propones un gran reto, el que va a cambiar tu vida y te devolverá el placer de la libertad.

Las páginas que siguen contienen un plan preciso, donde no se ha dejado nada al azar. Cada consejo y cada ejercicio tienen su utilidad: liberarte de toda crisis de angustia y de pánico.

Para que funcione, solo hay una consigna: ¡sé un luchador!

¿Cómo utilizar este libro?

Si sufres crisis, tendrás ganas de leerlo a toda velocidad. No hay ningún problema, pero permíteme un consejo: léelo una segunda vez despacio y realiza cada ejercicio a conciencia. Haz tuyo este libro. Toma notas, escribe en él, subraya pasajes, dobla las esquinas de las páginas y personalízalo. Conviértelo en tu cuaderno de apuntes.

Esta obra es más que una mera sucesión de páginas. Es la puerta de entrada al bienestar, a la alegría de vivir y a la felicidad. Un buen plan, ¿verdad?

Muy importante: en este momento, cuando has rellenado y firmado la página del compromiso, has celebrado un contrato contigo mismo, con el objetivo de combatir y vencer las crisis de angustia. Si no lo has hecho aún, rellénala de inmediato y no te olvides de firmar, por favor.

Ten el bolígrafo a mano: al hilo de la lectura, tendrás que apuntar tus impresiones.

Si te has comprado este libro con el fin de ayudar y comprender mejor a un ser querido, léelo y regálale un ejemplar para que pueda aplicar el método por sí mismo.

Por último, si has adquirido este libro por curiosidad o para prevenir la aparición de una crisis, salta de una página a otra, ábrelo al azar o lee lo que más te apetezca.

Haz pausas. Encontrarás espacios de escritura titulados «Hago una pausa». Tómate el tiempo de escribir lo que se pide y de reflexionar sobre tu situación. Esos instantes de toma de conciencia permiten avanzar con eficacia. ¡Por favor, no te los saltes!

Sea cual sea tu motivación, deseo que este libro se convierta en la chispa de una nueva vida de libertad y en un valioso compañero de viaje hacia el renacimiento personal.

COMPRENDER
LA ANGUSTIA

CAPÍTULO 1

¡NO ESTÁS SOLO!

«La verdadera felicidad se encuentra en la serenidad de la mente y del corazón.»

Charles Nodier

«La creencia de que nada puede cambiar proviene de una mala visión o de una mala fe. La primera se corrige, la segunda se combate.»

Friedrich Nietzsche

El hombre avanza hacia la mesa desde la que va a pronunciar un discurso de capital importancia. Se yergue y respira con calma. Su familia y sus amigos han respondido a la convocatoria. Su mujer lo anima. Mientras se inicia la cuenta atrás desde cinco hasta uno, se abre el micrófono. Las primeras frases son vacilantes. Vienen a continuación seis minutos que pueden parecer cortos para el común de los mortales, pero no para Jorge VI, rey de Gran Bretaña, que sufre de tartamudez. Y que, en esta ocasión, debía pedir al pueblo británico que soportara el esfuerzo de la guerra contra Alemania. Se hizo una magistral película basada en esta formidable historia. Es una hermosa lección para todas las personas que sufren de angustia.

El rey Jorge VI no tenía elección, ¿verdad? Cuándo nos vemos obligados a enfrentarnos a un suceso que nos produce angustia, ¿es capaz la mente de encontrar recursos que nos ayuden a superar nuestro estado de ansiedad? La respuesta se encuentra más adelante, en este libro.

¡Qué angustia!

Las crisis se producen en circunstancias que difieren mucho de una persona a otra. La situación puede ser estresante por naturaleza, como una reunión importante o un suceso dramático (fallecimiento, separación…), y puede repetirse, o darse un factor de ansiedad anormal (no se abre el paracaídas). Cualquiera puede sufrir un ataque de pánico.

La buena noticia es que tiene solución. ¡Lo superarás!

Puede pasar que, en contra del título del capítulo, siempre te sientes bien solo. Paciencia, paciencia... Este otro ejemplo quizás te suene.

De paseo, en una plaza del centro de la ciudad, te lo estás pasando estupendamente con los amigos. Hasta ahí, todo va bien. Estás acostumbrado a este tipo de reuniones. Conoces a las personas con las que hablas. Los lugares te son familiares. Son esos momentos en los que disfrutas mucho.

Todo va fenomenal en el mejor de los mundos, hasta que...

De repente, te sientes débil, como si estuvieras borracho, vacilaras y te fueras a caer. Durante unos segundos, intentas parar el golpe sin que nadie se dé cuenta del malestar. Pones buena cara y sonríes. Sin embargo, no te encuentras bien. ¿Te van a fallar las piernas? ¿Te vas a caer al suelo de repente en esa plaza que conoces desde hace años, delante de tus amigos y de todos los viandantes? Te sientas en el primer banco libre con la excusa de estar más cómodo para charlar. No engañas a nadie. Te ha cambiado el color de la cara y el ánimo que se refleja en ella. Blanco de miedo o rojo por el acaloramiento que produce la emoción, tu cuerpo reacciona con violencia a la primera crisis de angustia. Tus amigos se preocupan. Le quitas importancia. Los tranquilizas. Dices que te ha dado un bajón para explicar ese deseo repentino e inusual de sentarte. Ellos se sientan contigo. Mientras hablas como si no pasara nada, para tranquilizarte, no puedes evitar preguntarte qué ha pasado. ¿Una bajada de tensión? ¿Falta de sueño? ¿Una dolencia cardiaca? La lista infinita de posibles motivos solo contribuye a acentuar el malestar. Respiras a fondo. Te fumas un cigarro, te tomas un dulce o mascas chicle.

Una vez recuperado, te incorporas para hacer una seña a los amigos que no se han dado cuenta de nada. Con la vista en el suelo y la cabeza aún vacilante, sabes que se ha producido un suceso anormal. Pero lo peor es no saber nada y montarse películas. Solo deseas una cosa, volver a casa y consultarlo con un médico lo antes posible. Mientras, te prometes que nunca volverás a pisar esa maldita plaza que te da tanto miedo.

Como consecuencia, evitarás todas las plazas que, a partir de ese momento, se crucen en tu camino…

Ahora tienes que levantarte y caminar hasta el coche o el medio de transporte más cercano. En el peor de los casos, te sientes incapaz de hacerlo y pides abiertamente ayuda a tus amigos para que te acompañen a casa o a las urgencias del hospital. A menos que llames a los bomberos.

¡Qué pánico!

Veamos un último caso para ilustrar este capítulo. Acaban de ascender a la señora Martin a jefa de sección de un importante hipermercado y, dentro de dos semanas, debe presentar a su nuevo equipo los proyectos de la empresa, así como los objetivos de cifra de negocios de su departamento. También sabe que deberá evaluar a cada uno de los miembros de su equipo e informar de ello al director de la tienda y al director regional. Es decir que la señora Martin está estresada, lo que es fácil de entender. Lo que no es tan normal es que se va a montar una serie de escenarios a cuál más negativo. No es difícil imaginar a su cerebro mandándole mensajes como «voy a ser un desastre», «nunca lo conseguiré», «¿qué va a pensar el equipo?», etc. La presión económica actual y el miedo al desempleo no contribuyen a aliviar su estado. Se imagina que la degradan y forma parte del equipo que debería dirigir, que se convierte en el hazmerreír de toda la tienda o, aún peor, que la despiden. Su estado natural de estrés se deteriora y da lugar a un estado de ansiedad cada vez más intenso. Un día, la señora Martin, bajo la presión de su mente, se derrumba emocionalmente en el trabajo. Presa del pánico, sale de la tienda y no tiene ningún deseo de volver.

Estas personas acaban de experimentar su primera **crisis de angustia, seguida de un estado de pánico.**
Yo mismo he vivido las dos primeras situaciones, hace algo más de veinte años.

Conozco perfectamente lo que has sentido y el infierno que has atravesado.

Créeme, si has comprado este libro para ayudar a un ser querido, es difícil imaginar las terribles sensaciones que provoca una crisis de angustia seguida de un ataque de pánico.

¿Ignoras la angustia que sufres?

Estrés, ansiedad y angustia, ¿cuál es la diferencia? Para orientar mejor tu esfuerzo, voy a explicar de entrada la diferencia entre estos tres términos.

Comencemos por definir estas tres palabras, las más importantes que te afectan directamente. El diccionario francés Larousse nos va a ayudar.

Estrés

«Estado reaccional del organismo sometido a una agresión repentina.»

En relación con esta definición, me gustaría emitir una cierta reserva. ¿Es preciso estar sometido a una «agresión repentina» para sentirse estresado? Pensemos en un estudiante en la víspera de un examen. No se puede decir que se trate de un suceso repentino. A menos que haya hibernado de septiembre a junio, lo lógico es que conozca las fechas de sus exámenes desde hace meses. Sin embargo, no hay nada excepcional en el hecho de que esté estresado. Además, en este mismo ejemplo, ¿se puede hablar de agresión? Hay que matizar esta visión pesimista del estrés.

Por su parte, la Wikipedia francesa nos dice que, «en biología, se considera estrés al conjunto de respuestas del organismo sometido a presiones u obligaciones por parte de su entorno. Estas respuestas dependen siempre de la percepción que tiene el individuo de las presiones que experimenta.»

¡Buena observación! Se habla de obligaciones, pero también de percepción. En el ejemplo anterior, el estudiante está obligado a presentarse al examen.

Además, algunos estudiantes no sentirán ninguna presión, hayan estudiado o no, mientras que otros, excelentes alumnos, estarán muy estresados.

Ansiedad

«Inquietud desagradable, tensión nerviosa causada por la incertidumbre y la espera, angustia.»

«Trastorno emocional que se traduce en un sentimiento indefinible de inseguridad»

Angustia

«Gran inquietud, ansiedad profunda fruto de una sensación de amenaza inminente pero vaga»

«Sensación penosa de alerta psicológica y de movilización somática ante una amenaza o un peligro indeterminado, que se manifiesta por síntomas neurovegetativos característicos (espasmos, sudoración, disnea, aceleración del ritmo cardiaco, vértigo, etc.)»

Vaya, vaya. En este último nivel, las cosas se complican, ¿verdad? Hemos empezado suavemente con el estrés, una respuesta de nuestro cuerpo, luego nuestro estado emocional ha subido algunos grados con la ansiedad, pero ahora toma un cariz más inquietante y radical para nuestra salud con la angustia que se nos ha instalado.

Estoy seguro de que los síntomas descritos te recuerdan a tu propio estado en casos de crisis de angustia.

Análisis de la situación

¿En qué nivel te encuentras?

Los síntomas de la angustia mencionados en la definición anterior son similares a los de la crisis del mismo nombre. Sea cual sea el nivel de tu estado emocional —respuesta al estrés, ansiedad o angustia—, no esperes al último momento para cuidarte. Nunca es demasiado tarde para tratar las crisis de angustia.

El estrés es una respuesta que puede ser muy positiva, generar una buena dinámica y reforzar la motivación. Si tomo como ejemplo la escritura de este libro, el estrés por no terminarlo a tiempo me estimulaba. Era un motor que me hacía ir hacia delante.

Por lo tanto, lo importante es no superar este nivel.

Como es lógico, es mejor achicar el agua antes de que el barco se hunda.

¡RECUERDA QUE...

Más vale prevenir que curar

Al menor aviso de un estrés importante, te aconsejo que realices los ejercicios descritos en las páginas siguientes, de forma ocasional, pero con regularidad, a fin de mejorar la resistencia ante una crisis de angustia y superarla con rapidez.

No conozco ningún atleta ni músico que no haya entrenado o ensayado durante cientos de horas (¡como mínimo!) antes del alcanzar el éxito. Es preciso forjar la mente para que resista a la tentación de desbocarse. Entramos ahora en el meollo del asunto. ¡Vas a aprender a combatir con eficacia y sin brusquedad las crisis de angustia y de pánico!

¿Preparado?

La buena noticia, por retomar los ejemplos citados, es que, por mi parte, superé solo y con rapidez la angustia y todos esos estados de pánico *mediante técnicas que han dado resultado con personas que sufrían crisis desde hacía más de veinte años* y que pude aplicar cuando acudieron a mí en busca de ayuda.

Para ello, te voy a pedir dos cosas:

- 1. Que seas una persona luchadora.
- 2. Que sigas al pie de la letra el plan propuesto.

Parece sencillo, pero me gustaría que te tomaras treinta segundos para releerlo una docena de veces.

¿Hecho?

No vas a zafarte así como así.

Coge un bolígrafo y copia a continuación estas dos líneas:

Soy superluchador.

Sigo al pie de la letra el plan de ataque anticrisis de angustia.

¡Ahora tú!

....

....

....

....

Desde este momento, te prometo un triunfo brillante y una vida nueva porque, aunque aún no lo sabes, *¡las crisis de angustia desaparecen tan rápido como aparecen!* Un buen día, te levantarás, darás un paseo, conducirás tu coche y ¡las crisis habrán desaparecido!

¿Preparado? ¡Pues que dé comienzo la gran batalla de la que saldrás victorioso!

CAPÍTULO 2

¿QUÉ ME PASA?

«No hay nada más constante que el cambio.»

Buda

¿Cómo he podido llegar a esto? A menudo los pacientes me hacen esta pregunta.

Antes de lanzarte a la aplicación de los ejercicios y de los consejos que te voy a dar dentro de un momento, intentemos primero entender juntos lo que ha podido pasar para que te encuentres en semejante estado de angustia.

Por lo general, las personas que sufren crisis de angustia o de pánico han experimentado un choque emocional o un traumatismo físico, precedidos o seguidos la mayoría de las veces de un gran cansancio, así como de un estado de estrés anormal y reiterado.

Síndrome del trabajador quemado, operación médica, divorcio, fallecimiento, paro, accidente, guerra, etc. No faltan motivos que pueden provocar crisis. En mi caso, las originó una operación de las muelas del juicio que tuvo complicaciones. Fue un traumatismo muy doloroso, cuyos detalles permanecen grabados en mi memoria, pero cuyos efectos sobre mi mente quedan, en la actualidad, reducidos a la nada gracias al método que apliqué.

¡RECUERDA QUE...

La vida actual no nos da tregua. Algunos seres humanos están más preparados que otros para encajar los problemas cotidianos. Lo que puede parecer insignificante para unos puede convertirse en una prueba difícil de superar para otros. Empecemos por respetar la idiosincrasia de cada uno.

Lo que tenemos en común es que nadie espera vivir una crisis de angustia ni está preparado para sufrir sus tormentos.

¿Por qué es tan complicado?

Porque una crisis de angustia es invisible. No tienes ningún problema fisiológico. Todas las pruebas demuestran que, para la medicina convencional, no te pasa nada. Absolutamente nada. Mientras sufres el martirio, te sueltan que, en realidad, solo son desvaríos de tu cerebro. Un poco difícil de encajar. Aunque es verdad.

Un especialista en medicina holística te haría un montón de preguntas sobre tu vida personal y profesional para intentar comprender el origen de las crisis. Sea cual sea el tipo de especialista, lo importante en un primer momento es librarte de ellas.

El miedo a tener miedo

Recuerdo haber leído esta interesante definición de la crisis de angustia: «miedo a tener miedo». Al principio me quedé perplejo ante este enfoque un poco culpabilizador, pero enseguida lo encontré muy acertado. De hecho, lo primero que me dije es que, en realidad, yo hacía teatro, que, como solo era un miedo, lo único que tenía que hacer era razonar. ¿Cómo declararse vencido y sentirse tan desestabilizado, incluso físicamente, por simples pensamientos? No es tan sencillo… Cuando reflexioné más a fondo, me di cuenta de que, en efecto, tenía miedo a tener miedo de encontrarme en una situación que me causara ansiedad. En concreto, al salir de casa, tenía miedo de tener miedo de que, por echar una simple carta al correo, el mundo a mi alrededor fuera a ponerse patas arriba y a provocar una nueva crisis de pánico. Porque había llegado al punto de que caminar diez metros fuera de los límites de mi vivienda era un calvario. Me mareaba y las piernas me fallaban. En cuanto volvía y cruzaba la puerta de entrada, se me pasaba todo. Es sorprendente la capacidad que tiene el cerebro para atormentarnos.

Dicho de otro modo, en efecto, **la mente es la única responsable de tu estado.** No hace falta buscar ningún chivo expiatorio. Aunque la causa que te ha llevado a esta situación sea el fallecimiento de un ser querido, un jefe torpe o las secuelas de un suceso dramático, hoy, aquí y ahora, debes contar contigo y solo contigo para salir de ella. Lo primero que tenemos que hacer es conseguir que tu mente recupere todas sus facultades para que el proceso sea más rápido. Luego, nos centraremos en fortalecer **tu estado de resistencia al estrés con ejercicios preparación y consejos, a fin de evitar las crisis para siempre.**

Sobre todo, no te preocupes. No voy a pedirte nada que sea complicado ni que cueste una fortuna. Mi objetivo es ayudarte a vencer las crisis, no alarmarte ni mucho menos angustiarte aún más.

Te darás cuenta de que los consejos y los ejercicios propuestos son tan sencillos de aplicar como tremendamente eficaces. Así que, por favor, síguelos.

¿Cuáles son los riesgos de no tratarse con rapidez?

Una organización complicada

Por desgracia, lo raro es tener una sola crisis. Al igual que lo raro es no pasar dos veces por el mismo lugar cuando trabajamos, estudiamos o llevamos los niños al colegio.

Retomemos los ejemplos anteriores, que son los más frecuentes.

Pongamos que decides no volver a pasar por la autopista donde has tenido la primera crisis. En caso de necesidad, o bien otra persona coge el volante o bien tienes que ir por la carretera nacional, o por la comarcal.

Es evidente que pierdes mucho tiempo y que puedes verte obligado a anular alguna cita importante. Por ejemplo, para acudir una entrevista de trabajo, elegirás un trayecto que te estresará más porque es más largo y lo conoces peor.

Sencillamente, estás huyendo del miedo de sufrir una segunda crisis. Pero recuerda: tienes miedo de tener miedo. Es lo que hacen algunas personas angustiadas ante el miedo al fracaso. No se presentan a los exámenes ni acuden a las citas ni avanzan en la vida. Estás a punto de hacer lo mismo, pero con un peligro aún mayor.

Admitamos que puedes gestionar tu tiempo y tus compromisos como te parezca. Esto es lo que te espera a continuación.

El aislamiento

Caminas por una calle que te evita pasar por la plaza donde tuviste la primera crisis de angustia. Pero se presenta la segunda crisis. Decides no coger ese segundo camino en el futuro. Según se producen las crisis, el número de lugares que evitas se incrementa. De modo que la vida se vuelve muy complicada y sales cada vez menos de casa, hasta la última etapa, en que tu vivienda se convierte en tu único refugio.

Si trabajas, puedes imaginarte las dificultades. En general, cualquier salida será una fuente de angustia.

Pero ¿qué sucederá si sufres una crisis en tu casa? Poco a poco, el espacio vital se reduce.

Sea cual sea la gravedad de las crisis, este libro tiene la solución. Ya estés encerrado en casa, solo puedas salir acompañado o te encuentres aún conmocionado por el primer ataque de pánico, este método te será de gran ayuda.

Aplica, pues, cada uno de los consejos que te doy.

Hago una pausa

Describe tu situación en unas líneas. Responde a la siguiente pregunta: ¿dónde se produjeron la primera y la última crisis de angustia? Descríbelo de la manera más detallada posible. Luego anota lo que sentiste: palpitaciones, sudores, temblores, vértigo, etc.

....

....

....

....

....

....

....

....

....

....

....

....

CAPÍTULO 3

TUS RELACIONES CON LOS DEMÁS Y A LA INVERSA

«Si somos capaces de comprender antes de condenar, avanzaremos hacia la humanización de las relaciones humanas.»

Edgar Morin

Abordamos ahora la dificultad para aceptar las crisis de una persona de nuestro entorno: un amigo, un familiar o un compañero de trabajo. Dicho de otro modo, vamos a **aprender a comprender esta patología invisible.** En efecto, no basta con soltar «¡Todo está en tu cabeza, reacciona!» para que las crisis desaparezcan con el toque de una varita mágica. Al otro lado del espejo, la persona que sufre las crisis de angustia debe también aprender a convivir con otros que la aprecian o que, por ignorancia, no entienden su sufrimiento.

¿Qué hacer si conoces a una persona que sufre crisis de angustia?

Pueden darse dos supuestos: que sepas de qué se trata o que ignores por completo en qué consiste una crisis de angustia. Veamos qué se puede hacer en concreto en ambos casos.

Sabes lo que es una crisis de angustia

Conoces el tema o, al menos, has oído hablar de él. Este libro te ayudará a completar lo que ya sabes. Pero ¿cómo enfrentarnos a este enemigo invisible que causa tanto sufrimiento? Se puede empezar por leer este libro para servir de apoyo a la persona y acompañarla en su lucha contra las crisis.

¡RECUERDA QUE...

No te pases

Cuanto más cercana es la persona, más difícil es aplicar este consejo. Sé comprensivo, sin convertirte en un esclavo de la situación. Cada nivel de las crisis de angustia tiene sus características. Al principio, lo importante es tranquilizar a la persona. Después, cuando se dan varias crisis, debes acompañarla, y por último, cuando la persona apenas sale de su casa o ya no lo hace, tienes que tomar las riendas con firmeza.

Nivel A: crisis importantes

Si conoces a alguien que prácticamente no sale de casa, empieza por acompañarlo para que retome el contacto con el exterior. Aunque estés muy ocupado o haga mal tiempo, acompáñalo cada día al menos una vez fuera de casa.

Después de varios días o semanas de acompañamiento, en función del nivel de las crisis de angustia, salid juntos, pero deja que la persona camine unos pasos sola por la calle o por una tienda. Tranquilízala asegurándole que estarás ahí en caso de necesidad y que puede contar contigo.

La siguiente etapa consiste en que salga sola de casa. Por ejemplo, para ir a comprar el pan. Indícale que tienes el móvil encendido por si acaso. Continúa de este modo con distancias y tiempos cada vez más largos.

Nivel B: crisis esporádicas

La persona sale a pesar de su malestar y su miedo. Es una luchadora. ¡Es estupendo! En este nivel, pídele que lea y aplique los consejos de este libro al pie de la letra. Sé su apoyo. Anímala.

Nivel C: la primera y única crisis es muy reciente

Se someterá a serie de pruebas médicas para confirmar el diagnóstico. Como en el nivel B, aconseja a tu amigo que lea este libro y aplique sus consejos lo antes posible.

Por supuesto, es necesario estar más presente en el nivel A que en los demás. Pero no caigas en la trampa de hacer cada salida solo, como las compras, las gestiones administrativas o el ocio. Si la persona es muy demandante y depende en exceso de ti, intenta poner límites. En efecto, el riesgo es que no salga de casa en absoluto. Por el contrario, no dejes a alguien del nivel A solo en la calle. Todo es cuestión de equilibrio y experiencia.

¿En qué nivel se encuentra la persona que conoces? ¿Cómo y cuándo ayudarla?

Ejemplo: Marion, nivel B. La llamo hoy. Le regalo el libro. Le pregunto si necesita que sea su persona de apoyo (véase la página 49).

....

....

....

....

....

Te ha pillado desprevenido

Al principio, lo más difícil sin duda es aceptar la idea de que, aunque los resultados de las pruebas médicas sean buenos y su salud física, espléndida, estamos ante una persona atemorizada, inactiva a veces, enclaustrada en el peor de los casos, que se siente incapaz de salir de casa sola. Tanto si la situación se desencadenado el día anterior como si se prolonga desde hace años, todas las personas que acuden a mi consulta por crisis de angustia se sienten, en primer lugar, incomprendidas por su entorno. Se da en ellas una mezcla de enfado y tristeza. Si en algún momento, por irritación o por estar hasta la coronilla, has soltado un atronador: «¡Reacciona, no tienes nada, todo es puro cuento!», debes saber que eso solo contribuye a empeorar las cosas. Es exactamente lo que una persona que sufre crisis de angustia no necesita oír ni soportar, porque es falso e injusto.

Si el mal está hecho, prescinde de tu ego y discúlpate diciendo que no sabías cómo se podía sentir una persona que sufre crisis de angustia. No intento que te sientas culpable, sino que abras los ojos a una realidad.

Comprendo que las personas cercanas como tú también sufren la situación, ya se trate de la pareja, de un amigo o de un familiar. Para recuperar la armonía es necesario que cada uno ocupe un nuevo lugar y lo asuma.

Lee bien este libro. Toma conciencia de que **es muy difícil vivir las crisis de angustia y de pánico.** Ofrece tu ayuda como apoyo. No es el momento de crear tensiones. La persona necesita que la tranquilicen, la acompañen y la animen. ¡Eres uno de los que están mejor situados para ello!

¿Cómo interactuar con el entorno cuando sufres crisis de angustia?

A la inversa, si has sufrido ataques verbales de este tipo, debes aprender a perdonarlos. Entiende que no es fácil comprender y apoyar esta patología.

¿Qué hacer frente a los que, con sonrisa irónica, te miran como si hubieras ganado el Oscar a la mala fe?, ¿frente a los que piensan que eres el vago más grande que han conocido y que, si hicieras un esfuerzo por animarte, todo volvería a la normalidad? Yo me he encontrado unos cuantos. Tú seguramente también. Lo mejor es no entrar en su juego creando un conflicto que provocará aún más estrés. Sonríe en tu interior ante tanta incomprensión. Si las explicaciones que les das no les convencen, ya abrirán los ojos después, en esta vida o en la otra. Quédate tranquilo y piensa ante todo en ti. Busca otros apoyos, sin forzar a nadie.

> *Tranquilo. Entre los compañeros de trabajo, los amigos y los miembros de tu familia, hay personas que han tenido ansiedad o que conocen a alguien de su círculo íntimo que sufre igual que tú. Millones de hombres y mujeres en el mundo sufren los tormentos de las crisis de angustia y de pánico.*

Prométete a ti mismo que algún día también serás un apoyo firme y comprometido para esas personas.

COMBATIR
LA ANGUSTIA

Llegamos a un momento crucial de este método.
Las tres primeras etapas de esta parte son la base de tu éxito.

Aplícate.

Concéntrate.

Sé positivo.

Todo irá bien.

Casi lo has conseguido.

CAPÍTULO 4

ETAPA 1:
LA PREPARACIÓN

«Dame seis horas para cortar un árbol y pasaré las cuatro primeras afilando el hacha.»

Abraham Lincoln

Como si fuera una sesión de deporte, una reunión importante o un examen, vamos a hacer ejercicios de calentamiento, preparación y entrenamiento. Insisto en que no es nada complicado, pero es necesario poner los consejos en práctica. Este método está diseñado para que todo el mundo consiga aniquilar las crisis de angustia y pánico. Nadie se queda en la cuneta.

Puede que acabes de experimentar tu primera crisis de angustia o que las sufras desde hace años. Da igual. Cada uno se encuentra en un nivel diferente, pero la solución es la misma para todos.

Ahora solo cuentas contigo mismo para vencer las crisis de angustia. ¿Es fácil decirlo? Sin duda. Pero… se trata de tu vida. Nadie puede tomar las riendas mejor que tú. La victoria será mayor si tú y solo tú has vencido a tus demonios.

EN LA PRÁCTICA

Después de cumplir con las condiciones de cada una de las etapas que siguen, **pon una cruz en la casilla correspondiente de la lista que se encuentra al final de las tres primeras etapas** (página 93) y pasa a la siguiente.

Seguro que ya has puesto en práctica alguno de esos consejos. ¡Perfecto! Si es el caso, márcalo y continúa.

No pienses que alguna etapa es inútil, aburrida o imposible de llevar a cabo. No tienes elección. Por favor —¡lo repetiré con frecuencia!—, sigue los consejos en el orden indicado.

1.ª fase: hazte un reconocimiento médico

En líneas generales, los síntomas de una crisis de angustia son más o menos idénticos, pero, por supuesto, pueden variar ligeramente de una persona a otra. Por suerte, todos somos diferentes.

¿Cuáles son tus síntomas?

En la siguiente lista, creo que te reconocerás con facilidad:
- Sensación de gran vacío, impresión de ser muy pequeño ante la nada, de no tener puntos de referencia. Es una sensación difícil de explicar. Estoy seguro de que sabes de lo que hablo.
- Vista nublada.
- Mareo.
- Piernas temblorosas o que parecen fallar.
- Ritmo cardiaco acelerado.
- Respiración jadeante o entrecortada.
- Sudores o sofocos.
- Miedo paralizante.
- Sensación de caerse.
- Miedo a desmayarse o a morir.
- Pánico: debes pararte, sentarte o escapar de la situación. Por ejemplo, tienes ganas de volver a casa cuando estás sentado tranquilamente en el cine o en una comida familiar.

No es nada divertido, estoy de acuerdo. A mi pesar, los he probado todos y sé lo duro que es.

Tranquilo. Vamos a solucionar todos esos problemas.

Mientras, aunque experimentes todos los síntomas característicos de la crisis de angustia, lo sensato es acudir a un médico para someterse a pruebas complementarias. Esto excede del ámbito de esta guía y de mis competencias, pues no soy médico, pero **es necesario confirmar en primer lugar que sufres crisis de angustia.**

Mi convicción es que la medicina convencional occidental y la medicina holística deben trabajar juntas y no la una contra la otra. El integrismo nunca ha servido para construir un mundo feliz.

Resultados

¿Has ido al médico? ¿Ha establecido un pronóstico, un diagnóstico y, en su caso, un tratamiento? Perfecto.

Escribe a continuación lo que te ha dicho. ¿Por qué? Porque trato a un número incalculable de personas que, cuando les pido que me resuman la consulta, me miran con aire ausente y me dicen: «No sé», «Hay cosas que no he entendido», «No me he atrevido a preguntar», etc.

Resume en pocas palabras la visita al médico:

....

....

....

Pasemos a la siguiente fase.

2.ª fase: mantente muy motivado

En esta fase, estás seguro de que sufres crisis de angustia. Esto forma parte del método. Es muy importante nombrar con exactitud la patología que sufres. La incertidumbre genera inquietud. Aunque duela, ya conoces el nombre de tu peor enemigo. Ahora te sentirás desanimado y preocupado por tu futuro. Es normal. Ha llegado el momento de recuperar la esperanza y de plantar cara a ese peligro invisible que te arruina la vida. A partir de este instante, **las crisis de angustia y de pánico son tu objetivo.** Tu hermana pequeña o tu exnovia son unas santas en comparación con lo que estás atravesando en este momento. Considéralo así hasta que estés completamente curado. No cedas en nada. De momento, no cuentas con todas las armas para vencer a las crisis, pero las tendrás cuando acabes la lectura de este libro.

EN LA PRÁCTICA

Mételo en la cabeza:
Eres un guerrero invencible.

Eres el Superman (olvida los ridículos calzoncillos) o la Lara Croft de la lucha anticrisis de angustia y vas a derrotar al mal. No corres ningún riesgo. Tu cerebro es el único responsable de tu trastorno. ¡Tú eres el gran jefe!
¡Y se va a enterar!
Escribe: Soy el jefe/la jefa:

....

En mi caso, compré una taza divertida, con un retrato de Napoleón, que decía: «Soy el jefe». ¡Ah, el humor! Volveremos sobre el tema.

Mide tu motivación

Te librarás de la angustia, estoy convencido, pero la condición *sine qua non* de tu victoria es una motivación a prueba de bomba.

Del 1 al 10, ¿cuánto calculas que mide tu motivación? Escribe una cifra con números grandes:

....

¿Entre 8 y 10? Bravo. Lo contrario me habría sorprendido. Por lo general, no se tienen muchas ganas de estar encadenado a semejante bola de hierro.

¿Has escrito una cifra inferior a 8? No seas derrotista. ¿Quién puede ganar una batalla que considera perdida de antemano? Nadie.

Refuerza tu motivación

A partir de ahora, en este preciso instante, eres la encarnación del vencedor. Las angustias no podrán contigo. Destruirás hasta la última que quede.

Repítete cada día, varias veces, afirmaciones positivas y motivadoras como:

- ¡Soy invencible!
- ¡Soy el vencedor!
- ¡Soy indestructible!
- ¡Voy a por todas!

Puedes inventar tus propias afirmaciones. Solo hay dos condiciones: **que no contengan una negación y que las formules en presente.**

No digas, por ejemplo:

- Nadie me vencerá.
- No me destruirán.
- Nada me hace daño.

Mantén siempre el tono afirmativo. De este modo, envías un mensaje positivo a la mente, que, repetido cientos de veces, acaba por calar a fondo.

Si dices «Me encontraré mejor», envías a la mente el mensaje de que algún día no tendrás crisis de angustia. Esta frase escrita en presente se convierte en «Me encuentro mejor». ¡Hay una gran diferencia en este mensaje tan optimista! Más vale tarde que nunca, pero más vale ahora que nunca.

Escribe a continuación tres afirmaciones de tu cosecha:

1. ....
2. ....
3. ....

3.ª fase: busca el origen de tu angustia

Hay varios motivos para tus crisis de angustia.

De entrada, vamos a aclarar las cosas. **Sin presiones.** Se trata de hacerte consciente de que en algún momento de tu existencia has vivido necesariamente algún suceso traumático, aunque no le hayas dado mucha importancia.

Comienza por revisar el año anterior a la primera crisis. Si, por ejemplo, ocurrió el 31 de diciembre, analiza mentalmente todo lo que pasó desde el 1 de enero.

Pasa revista a las causas de estrés de los doce meses anteriores. Aquí tienes algunas ideas:

- Exceso de trabajo
- Acoso laboral
- Relaciones difíciles
- Graves dificultades en el terreno afectivo
- Revés económico
- Accidente
- Operación
- Sufrimiento físico o psicológico
- Fallecimiento
- Violencia…

¿Te sientes cansado o desanimado? ¿Te sientes en tensión o, por el contrario, con una flojedad anormal en ti? ¿Te duelen las cervicales? ¿Tienes digestiones difíciles? ¿Te rechinan los dientes por la noche? ¿Estás «atacado» o en estado de alerta permanente, dispuesto a pelear, a afrontar cualquier nuevo desafío? Existen muchos signos que indican que estás estresado.

¿Estresado?

Como ya hemos dicho, el estrés puede ser muy positivo. Sin embargo, si es constante e intenso, se introduce en nosotros de manera perjudicial. Como pequeños ladrillos colocados unos sobre otros, sin cemento, el muro se eleva hasta ser demasiado alto para resistir contra viento y marea. Un día se derrumba y produce daños colaterales. Basta que se mueva un ladrillo para que todo se caiga.

Ejemplo

En el trabajo, tu superior jerárquico te trata como si fueras su compañero de cuarto. Al principio, te ríes. Pero, al cabo de tiempo, te molesta. Te encierras en ti mismo. Encajas una y otra vez, día tras día, el humor grotesco de tu jefe, a quien has perdido el respeto, aunque sea un profesional brillante. Bastará entonces con que te diga una palabra fuera de lugar para que sufras una crisis de angustia.

Otro ejemplo: Te enteras del fallecimiento de alguien conocido que, según tú, se ha marchado demasiado pronto y demasiado joven. Asistes al entierro. Pasan los días. No dejas de darle vueltas a su partida, la ceremonia, la injusticia… Meses más tarde, estos pensamientos obsesivos generan otros. ¿Y si fueras tú el próximo de la lista? ¿Tendrás tú también el cáncer del que ha muerto? Sufres dolores crónicos de espalda. Las palabras tranquilizadoras del médico no sirven de nada. Poco a poco, cada día que pasa, se convierte en un pretexto para inventar enfermedades mortales que, en realidad, no sufres. Vas colocando tus propios ladrillos. Fallece una persona anciana, casi centenaria. Es la gota que colma el vaso. La muerte te da tanto miedo que sufres una crisis.

Los escenarios que pueden provocar las crisis de angustia son muy numerosos. Cada uno debe distinguirlos antes de encontrar el suyo.

Si te cuesta trabajo encontrar una explicación para las crisis, probablemente no te das cuenta de que sufres ansiedad. ¿Eres una de esas personas a las que les encanta trabajar sin descanso? ¿O de las que no se quejan nunca y lo interiorizan todo?

¿Qué piensa tu entorno?

Es el momento de preguntar a tu familia y a tus mejores amigos. Pregunta si te ven estresado o angustiado y, en caso afirmativo, cuánto tiempo hace de eso. Trato a muchas personas que, ante esta pregunta, me responden que no se sienten estresados ni angustiados, pero que sus seres queridos no son de la misma opinión.

No siempre somos los mejores críticos cuando se trata de observarnos a nosotros mismos. Una opinión externa puede ser muy útil y valiosa para ayudarnos a sentir mejor.

¿Han notado algún cambio en ti en los últimos meses?
Muchas personas que sufren crisis de angustia parecen de una calma soberana, pero les hierve la sangre.

Tómate tu tiempo para determinar las causas de tu estado actual. Después, hacerse consciente de ello es una etapa importante en el proceso de curación. De este modo, no repetirás los mismos errores. Puedes ser una supermamá o una *superwoman* profesional, siempre que sepas reservarte momentos de tranquilidad personal. Volveremos sobre esta etapa crucial más adelante (página 86).

Hago una pausa

Observa con calma tu pasado más o menos reciente. ¿Se da alguna causa de estrés de manera reiterada? Apúntalas a continuación y descríbelas con toda honestidad.

Por ejemplo: Relaciones conflictivas con X desde hace diez años.

....

....

....

....

....

....

....

....

....

....

....

....

4.ª fase: acepta los síntomas

Es difícil de encajar, estoy de acuerdo, ¡pero sumamente eficaz! Nuestros amigos budistas practican este consejo con grandes resultados desde hace siglos. ¿De qué se trata exactamente?

Cuando sufres, la primera reacción es maldecir el dolor, proyectar tu aflicción por el suplicio en imprecaciones dirigidas a personas que, por lo general, no tienen ninguna relación con tu desgracia, etc. Rechazas el dolor en lugar de aceptarlo. Por supuesto, a primera vista, parece lo lógico. ¿Cómo aceptar unas crisis de angustia y de pánico que te arruinan la vida? ¿Y si lo intentaras al menos? Te sorprenderías del resultado.

¿Cómo se hace?

Empieza por dar la bienvenida a tu situación. Puedes hacerlo mentalmente o en voz alta. Las crisis te informan sobre algo de tu vida que no funciona bien.

Fíjate en la siguiente matización: no se trata de acoger la angustia como una bendición, sino el estado del cuerpo y de la mente. Por ejemplo, puedes decir: «Acojo lo que siento con calma y serenidad». A las crisis les reservamos otro destino, que abordaremos en la primera fase de la siguiente etapa (página 55).

En primer lugar, observa los síntomas sin juzgarlos: el mareo, el temblor de piernas, el acaloramiento, los escalofríos, la respiración agitada, etc. La idea es «diluirlos» quitándoles importancia, y luego contraatacar. Cuando más practiques este ejercicio, menos impacto te causarán los síntomas.

A continuación, *¡banzai!* Seremos implacables con este enemigo invisible.

Veamos una cita de Sun Tzu, célebre general chino del siglo vi a. C., autor del libro *El arte de la guerra:*

«Llévalos a un punto del que no puedan salir, y morirán antes incluso de escapar».

Dicho de otro modo, lleva los síntomas hacia ti y desaparecerán.

En resumen, para ser claro: puedes eliminar la causa de tus problemas.

5.ª fase: busca personas de apoyo

Es posible que los miembros de tu familia o de tu círculo de amigos no siempre sean comprensivos (véase el capítulo 3). Los resultados de las pruebas médicas son buenos y ellos te quieren; por lo tanto, en su opinión, no te pasa nada. ¡Pero si deberías incluso estar contento! ¿Cómo no estarlo? Ahora bien, ¿cómo explicarles que sufres una patología invisible? En el mejor de los casos, se sentirán más tranquilos si el médico te receta antidepresivos o ansiolíticos, que, en realidad, solo sirven para enmascarar el problema.

Pero, al menos, para ellos, si tomas esos medicamentos es que estás realmente enfermo. En los casos extremos, podrían considerarte directamente un vago. Si salir de casa e ir al trabajo es una pesadilla para ti, pero no sufres ninguna dolencia física, ¿qué razón sino la pereza podría explicar esa falta energía?

Es muy difícil comprender lo que puede sentir alguien que sufre crisis de angustia y de pánico. Ahora que estás en el lado malo de la barrera, te das cuenta de ello en carne propia. Sin duda, nunca te habrías imaginado que existía algo así. Aunque hubieras conocido a alguien que dijera sufrir crisis de angustia, seguramente habrías pensado que todo eran imaginaciones suyas y que solo tenía que «reaccionar». En la actualidad sabes que no es así y que librarse de las crisis es más complicado de lo que parece. Como se suele decir: «No sabes lo que es hasta que no lo vives».

Esta quinta fase se centra el aspecto relacional de tu vida.

Habla

Te aconsejo que se lo cuentes a alguien. **No lo guardes como un secreto.** Seguro que hay al menos una persona en el mundo que te aprecia, y recíprocamente, a quien puedes confesar lo que consideras, erróneamente, una vergüenza. No se trata de ser fuerte o débil.

Cuando sufrimos, un oído atento, un hombro tranquilizador o unas palabras de ánimo son como paletadas de cemento que consolidarán tu muro y te permitirán salir de las crisis.

Partamos del principio de que ellos saben que tú sufres crisis de angustia y de pánico.

EN LA PRÁCTICA

Busca tus ángeles de la guarda

Estas personas de apoyo están ahí para tranquilizarte y también para darte un empujón. Algunas no se atreverán, porque te aprecian y te quieren. Por nada del mundo desean hacerte desgraciado. Lo que no te pone las cosas fáciles.

¿No es un poco masoquista pedir a alguien que sueña con ayudarnos que no haga de más? En realidad, no es cuestión de no hacer de más, sino de hacerlo bien. Explica a tu «ángel de la guarda» que debe guiarte, pero no ir todo el tiempo pegado a ti. Si la panadería está en la esquina de la calle, ve solo. Si tienes que acudir a una cita importante y te encuentras en un nivel avanzado de las crisis de angustia (apenas sales), pide a tu persona de apoyo que te acompañe.

Como norma general, intenta apañártelas solo para trayectos cortos. Tu persona de apoyo puede tener el móvil encendido o mirar por la ventana si el destino está muy cerca.

Huye de las personas negativas que intentan culpabilizarte con frases como: «Es culpa tuya», «Haz un esfuerzo», «Eres un desastre», etc. Estas expresiones te permitirán descartar a amigos y familiares.

Si tus seres queridos te miman como si fueras un bebé, debes saber que esto no ayuda. Si siempre te acompañan, te hacen la compra, van contigo de paseo, creyendo que hacen un bien, lo único que consiguen es que escondas la cabeza como el avestruz. Es duro oírlo, pero es la verdad. Si se ponen a tu servicio, no mejorarás. Recuerda el título de esta etapa:

buscar personas de apoyo. No esclavos, sino personas que te echarán una mano, pero también te dirán: «Ve a comprar el pan solo. Yo estoy aquí. No te va a pasar nada». En tal caso, cuentas con auténticos pilares. Busca su compañía. Elígelas con cuidado.

Apunta abajo los nombres de cinco personas en las que puedas apoyarte. Recuerda que más vale contar con una sola persona segura que con cinco que nunca están cuando las necesitas.

Por otro lado, entiende que puede ser fatigoso, pesado y agotador para una persona asumir sola tu acompañamiento. Busca por lo menos dos.

Las personas de apoyo deben:

- Estar al corriente de que sufres crisis de angustia.
- Estar de acuerdo en ayudarte, lo que significa estar presentes para tranquilarte y respaldarte.
- Ser positivos, tanto de actitud como de palabra, en lo que ti se refiere.

Mi primera persona de apoyo es:

....

Mi segunda persona de apoyo es:

....

Mi tercera persona de apoyo es:

....

Mi cuarta persona de apoyo es:

....

Mi quinta persona de apoyo es:

....

Una vez definidas las personas de apoyo (de dos a cinco), añáde-
las a tus contactos y escribe sus datos (nombre y teléfono) en un
papel o una agenda que lleves siempre contigo. Insisto en que esto
no es opcional. Si el móvil último modelo se avería, es mejor tener
una copia en papel, anticuada pero útil, cuando la tecnología nos
deja tirados. La finalidad es contar con personas que nos tranquilicen, no echarse a llorar en el momento crítico, gritando: «¡Dios mío,
he perdido todos mis apoyos!». ¿No están ahí tus ángeles de la
guarda para respaldarte y guiarte hacia tu renacimiento?

¡Estupendo! Pues sigamos nuestra ruta.

EN RESUMEN

Estos son los puntos claves de la etapa de preparación:

1. **Hazte un reconocimiento médico.** Confirma con el diagnóstico de un médico que sufres crisis de angustia.

2. **Mantente muy motivado.** Conserva el espíritu de un luchador
invencible que gana todas las batallas.

3. **Busca el origen de tu angustia.** Da caza a las causas. En un
primer momento, haz que salgan de su madriguera. Los aba-
tiremos en la etapa siguiente.

4. **Acepta los síntomas.** Dales la bienvenida porque te avisan de
algo no marcha bien en tu vida.

5. **Busca personas de apoyo.** Selecciónalas y pídeselo a aquellos de tus seres queridos que te puedan ayudar mejor.
Pequeño recordatorio: un guerrero invencible no necesita que lo
traten como un niño, ¿verdad?

CAPÍTULO 5

ETAPA 2: LOS REMEDIOS URGENTES

«¡En la vida, guárdate de posponer las cosas: ¡que tu vida sea acción y más acción!»

Johann Wolfgang von Goethe

Gracias por seguir los consejos en el orden indicado.

Que sean para ti como una segunda naturaleza. Es lo que te va a permitir mejorar muy rápido. Luego veremos juntos cómo mantener el estado de bienestar.

Escríbelos en la agenda para no olvidarte de ninguno.

No se trata de agobiarte con ejercicios y consejos de todo tipo, porque el riesgo de que te pierdas sería muy alto, sino de acompañarte de una manera estructurada hacia la victoria.

¡RECUERDA QUE

Lo repetiré con frecuencia: no puedes elegir las herramientas que vas a utilizar. Son complementarias unas de otras. Tienes la obligación de aplicarlas todas para avanzar y librarte de las crisis de angustia.

1.ª fase: insulta a la angustia

Cuando doy este primer consejo, veo sorpresa en la cara de mis pacientes, incluso escepticismo. A veces, con una sonrisita, me miran como si pensaran que me estoy riendo de ellos o que me he vuelto loco.

Y, sin embargo, este sencillo consejo, en apariencia ridículo, anodino o idiota, es una de las claves del plan que te conducirá a la desaparición de las crisis.

En el momento que sientas aparecer la angustia, aplica este ejercicio, durante varios minutos si hace falta.

Insulta a la angustia, mentalmente o en voz alta si estás solo, de la siguiente manera:

> «¡Pedazo de #*|?#*, no podrás conmigo!»
> «¡Soy más fuerte que tú!»
> «¡No eres nada!»
> «¡Que te den morcilla!»

Por supuesto, puedes personalizar estas afirmaciones con tus propias palabras. Déjate llevar. No tengas ningún tabú. Demuéstrale a la angustia que no eres ningún incauto y que solo existe en tu cabeza. Ella es tu peor enemiga. Trátala como tal.

Imagina que tienes un *punching ball* con las dos palabras, «mi angustia», escritas en él. ¿Qué harías? Lo aporrearías con todas tus fuerzas para liberarte de la ira frente a ese enemigo invisible y recuperar así la paz de espíritu. De tanta cólera, le harías dar vueltas en todas direcciones, aún a riesgo de que te atizara en plena cara.

Pues si insultas a la angustia, obtienes resultados aún más eficaces, ya que no necesitas ningún accesorio. Si puedes pensar, eres capaz de insultar. Deja de lado el pudor. Si para ti «jolines» es el peor de las palabrotas, vale. No olvides que debes soltarlo todo y no quedarte nada dentro. Esa angustia que te arruina la vida no se merece que la trates con consideración.

La finalidad del ejercicio es separarse de la angustia y del pánico. Al personificarlos, preparas poco a poco la mente para aniquilarlos.

Este simple ejercicio ha permitido a personas que sufrían crisis de angustia desde hacía varios años recuperar una vida normal. En la actualidad, salen de casa, viajan, montan en avión, etc. Fueron capaces de contemplar su angustia desde un nuevo ángulo. ¡Este ejercicio cambió su vida como va a cambiar la tuya! Practícalo de manera regular y habrás dado un paso enorme hacia la libertad.

Después de insultar a la angustia, acoge tu estado de bienestar con benevolencia. Repítete que estás bien, que estás relajado y todo va fenomenal.

Si este libro solo contuviera un consejo, sería este. ¡Practícalo entonces!

¿En qué momento hay que soltar los insultos?

En cuanto empieces a sentirte mal. Si, por ejemplo, te sientes angustiado porque sabes que debes salir, comienza ya. Sea cual sea el margen de tiempo, insulta a la angustia cuando antes para que el episodio ansiógeno no tenga lugar. Si, por el contrario, te ha pillado desprevenido y la crisis de angustia se presenta sin avisar, ¡lanza el contraataque de inmediato!

Atención: insulta a la angustia, pero no te insultes a ti. No digas: «¡Pedazo de #?&#*!» pensando en ti. Si es lo que te sale, personificar la angustia te ayudará. Imagina a alguien que la represente. No elijas a nadie real, como tu suegra, por ejemplo. Sería contraproducente. Invéntate una persona, que la llamarás con toda naturalidad «Mi Angustia».

Es el momento de preparar este primer punto con humor. Escribe a continuación tus 5 insultos favoritos, que reservarás para las crisis.

1. ....

2. ....

3. ....

4. ....

5. ....

2.ª fase: ¡mantente erguido!

¿Te has dado cuenta de que miras al suelo cuando tienes una crisis? Estás encorvado, con los hombros y la espalda encogidos para inclinar el cuerpo hacia delante. De este modo, intentas escapar de la angustia, aislándote del mundo que te rodea. En tu burbuja, crees estar a salvo.

En una crisis, si te mantienes erguido, tienes la sensación de que tu equilibrio es inestable. Cuando te inclinas, intentas anclarte al suelo. Es más, si pudieras sentarte o tumbarte en él, lo harías. Pero no sería una buena idea. A la angustia le encanta verte huir. Estarías dándole la razón a tu peor enemiga, llamada «Mi Angustia». ¿Te acuerdas?

Verás por qué es tan importante que te incorpores. Cuando miras fijamente al suelo, la parte superior del cuerpo se inclina hacia delante, la caja torácica se comprime, ventilas mal, aumenta el ritmo cardiaco y ya sabes lo que viene después: sudores, temblor en las piernas, pánico…

Cuando sientas que algo va mal, mantente erguido, tieso como un palo.

- Imagina un alambre de oro o de plata que te atraviesa la columna vertebral de abajo arriba, desde el perineo hasta el cielo. Es un vínculo indestructible que te mantiene derecho y te da estabilidad. No puede pasarte nada.

- ¿Crees en el ángel de la guarda? Imagina el tuyo, magnífico, detrás de ti, sujetando el alambre que te ayuda a mantenerte erguido.

- Del mismo modo, si ha fallecido algún ser querido, puedes imaginarlo detrás de ti, sonriente y seguro, sosteniéndote.

- En la gestión de las crisis, es muy importante respirar y ventilar bien. Volveremos sobre este tema más adelante (página 63).

¡RECUERDA QUE...

Recuperar tu capital de confianza

Al principio, ante una gran crisis de angustia, solo tienes una idea en la cabeza: esconderte en un rincón, sentarte o tumbarte y cerrar los ojos con la esperanza de que la pesadilla se pase sola. Te gustaría decir, al despertar, que solo ha sido un mal sueño. Exactamente lo que va a suceder. Pero, mientras llega ese día maravilloso y cierto, debes recuperar tu capital de confianza, seriamente mermado por la angustia. Las crisis de pánico, que solo son huidas hacia delante de un peligro imaginario, no hacen más que acentuar ese estado. La huida aumenta el sentimiento de culpa y afecta a la autoestima. No hagas nada. La situación ya es bastante difícil en sí. Nadie piensa que va a vivir crisis de angustia. Entonces...

Mantén la cabeza alta.
Eres una buena persona.

Con la cabeza alta y la espalda recta, escribe a continuación 5 de tus cualidades:

1. ....

2. ....

3. ....

4. ....

5. ....

3.ª fase:
¡conéctate a la Tierra!

Tranquilo, no se trata de meter tres dedos en un enchufe. Aunque el principio y la finalidad sean los mismos: **¡estabilizar toda esa corriente de angustia que te atraviesa e intenta electrocutarte!**

Este ejercicio se basa en las tradiciones de la India y de Extremo Oriente. Consiste en imaginarse conectado a la Tierra para **equilibrar el cuerpo en el espacio.** Puede resultar extraño como concepto si no conoces las terapias energéticas. Por el contrario, si practicas artes marciales, yoga, *chi kung* o taichí, todo lo que digo te sonará familiar.

Si realizas este ejercicio por la mañana, antes de levantarte, ganarás en seguridad y equilibrio.

¡Tu turno!

- Sentado en el borde de la cama, con los ojos cerrados, imagina que unas raíces te rodean los muslos, bajan por las tibias y te atraviesan los pies.
- Esas raíces, gruesas y sólidas, penetran hasta el fondo de la Tierra. Siente los pies pegados al suelo.

Practica este ejercicio durante treinta segundos todos los días. **Se trata de una visualización. Puedes exagerarlo todo. La imaginación no tiene límites.** Estas raíces son robustas e inquebrantables. Elige el color que más te guste. Si lo deseas, pueden ser rosas o de los colores del arco iris. Atraviesan todos los materiales que encuentran a su paso, desde la planta del pie hasta las profundidades terrestres. Nada se les resiste, ya vivas en el décimo piso de un edificio o en una tienda plantada en el suelo. Eres un árbol que obtiene su energía de las profundidades de la Tierra gracias a sus potentes raíces. Visualiza un roble magnífico en medio del campo. Eres ese árbol que ha sobrevivido a siglos de historia y de intemperie. No puedo prometerte que vivirás tantos siglos, pero puedo asegurarte que este ejercicio te permitirá fortalecer la postura y enderezarte, con el fin de respirar mejor y ver el mundo que te rodea con otros ojos, es decir, como lo percibe la mayoría de la gente.

EN LA PRÁCTICA

En caso de crisis, practica también el ejercicio de arraigo, de pie o sentado. Insulta a la angustia, mantente erguido y ánclate al suelo como acabamos de ver.

Si practicas estos ejercicios con anticipación, fuera de los episodios de crisis, tu cuerpo y tu mente tendrán una mayor resistencia. Recuerdo la primera vez que salí a correr después de años de vida sedentaria. Aguanté diez minutos. Luego, conforme iba entrenando, fue más fácil. Mi cuerpo resistía mejor el esfuerzo y mi mente lo animaba. En este caso, sucede lo mismo. Entrénate. Con una vez al día, por la mañana al levantarte, es suficiente.

Un último consejo: imagina siempre el mismo árbol. De este modo, será más fácil y más rápido visualizarlo en caso de urgencia. Ahora bien, no hay que confundir este ejercicio, que se llama **de arraigo o de anclaje,** con el ejercicio del mismo nombre que veremos más adelante.

Disfruta practicando los ejercicios que te propongo. Existen y se te presentan para animar y mejorar tu vida diaria.

Describe a continuación el árbol que te imaginas. ¿De qué color es? ¿Tiene hojas y ramas imponentes? ¿Te recuerda a un anciano sabio o a un hada gentil y protectora? ¿Cómo son sus raíces? ¿Están llenas de tierra y barro o son lisas, limpias, incluso brillantes? Haz tuyo ese gigante de la naturaleza porque te representa. Recuerda que no hay ningún límite al poder de la imaginación. ¡Lánzate!

....

....

....

....

4.ª fase: respira

Cuando sientes que te invade la angustia, el reflejo consiste en aumentar a la vez la frecuencia y la intensidad de la respiración. Ya lo hemos visto: en caso de crisis, si pudieras ponerte a salvo en el suelo, tumbarte o, al menos, sentarte, lo harías. Todo con la mirada dirigida hacia abajo, la cabeza inclinada hacia delante y la parte superior del cuerpo encorvada, mientras te tiemblan las piernas. Eres un árbol muy frágil, que se dobla en cuanto sopla una ligera brisa que tu cerebro toma por una tormenta. Estamos muy lejos del roble centenario de la fase anterior.

Por regla general, inspiras a fondo y luego soplas para expulsar el máximo de aire. No es una buena idea. Oxigenas demasiado el cerebro y puedes marearte. Pero esto no es lo que pretendemos, ¿verdad?

Te propongo un ejercicio muy sencillo, de probaba eficacia: **la coherencia cardiaca.**

Este ejercicio ha sido objeto de numerosos estudios científicos. Las conclusiones demuestran claramente su eficacia en materia de estrés. Parece tan fácil que puedes pensar que no sirve de nada. No te engañes. ¡La mejor manera de experimentarlo es con la práctica!

La coherencia cardiaca

¿Preparado? ¡Ya!

- Sentado o de pie, ten a la vista un reloj con segundero.
- Inspira durante 5 segundos por la nariz, hinchando el vientre. El aire eleva el pecho y los hombros se mueven ligera-

mente hacia atrás. Es lo que llamamos respiración abdominal.

- Espira a continuación por la boca, metiendo el vientre. Es un ejercicio excelente para los abdominales.
- Practica durante 5 minutos, tres veces al día.
- También puedes realizar este ejercicio antes de un acontecimiento importante que te produce estrés o durante una crisis. Tantas veces como quieras.

¡Tan sencillo como eso!

Respira de forma tranquila y relajada. Sin forzarte. No inspires a fondo. Aprovecha este momento de plenitud que te concedes.

Recuerda el número **365**. Haz **3** respiraciones por minuto, durante 5 minutos, todo el año, es decir, **365** días. Conforme se practica, este ejercicio es cada vez más eficaz. Como el buen vino, mejora con el tiempo.

En Internet puedes encontrar muchos vídeos con olas, entre otras cosas, que te permiten acompasar tu respiración a su movimiento. Teclea en tu buscador preferido las palabras «vídeo coherencia cardiaca». El problema con Internet es que hay demasiado donde elegir. No te pases horas buscando el paisaje adecuado para ti. A veces, los tiempos de la inspiración y la espiración varían de un vídeo a otro. No te preocupes. El resultado es el mismo

Si practicas este ejercicio sin reloj, cuenta mentalmente hasta 5. En realidad, irás demasiado despacio. Las inspiraciones y las espiraciones durarán 7 u 8 segundos, incluso más.

Inténtalo ahora mismo: inspira cinco veces durante 5 segundos y espira 5 veces también durante otros 5 segundos. No digas que no tienes tiempo. Si lees este libro fuera de casa, en el transporte público, sentado en la terraza de un café, durante la pausa del trabajo o mientras saltas en paracaídas, ¡haz el ejercicio! (En el último supuesto, ¡no te olvides en cualquier caso de tirar de la anilla de apertura!)

Escribe tus impresiones

Coge tu bolígrafo favorito y anota tus impresiones. ¿Cómo era tu respiración? ¿Qué te «decía» la mente? ¿Estaba tranquila, serena y feliz? ¿Tenías la sensación de regalarle a tu cuerpo una pausa reconfortante y muy merecida?

....

....

....

....

5.ª fase: descansa

Los síntomas que experimentas se deben en parte al cansancio y al estrés, que han superado con creces los límites aceptables. Es un error someter el cuerpo y la mente a un exceso de actividad para que no tengan tiempo de pensar en la angustia. Al hacer esto, acentúas el estado de agotamiento, de modo que la frecuencia y la intensidad de las crisis pueden aumentar. Entonces intentarás ser aún más dinámico y estar siempre activo, para dejarles el mínimo espacio posible. Pero, por supuesto, las crisis serán cada vez más difíciles de manejar. Acabarás física y mentalmente agotado.

Libera tu agenda. Es el momento de pensar en ti.

Ejemplo

En mi consulta, trato a muchas parejas con problemas para tener hijos, aunque los resultados de las pruebas médicas son perfectos. Cuando les pregunto por el respectivo empleo del tiempo, algunos conocen ya la respuesta sin darse cuenta: «Trabajamos una barbaridad», «Salimos mucho los fines de semana», etc. ¿Cómo hacer sitio a un bebé en una vida sin duda emocionante, pero planificada y frenética? Es imposible. A veces, la mente es tan lista que indica al cuerpo que no es buen momento para dar a luz. En lo que a ti, querido lector, concierne, al margen de la cuestión del bebé, el hecho es el mismo: tu ritmo de vida influye en las emociones y la angustia. Frena un poco si corres en todas direcciones. Haz sitio para ocuparte de ti mismo y para descansar.

Por el contrario, si tienes la impresión de ir al ralentí y estar paralizado en casa, entonces debes controlar la mente, porque te sientes como un león enjaulado, que se pasa el tiempo cavilando sobre las contrariedades de las crisis.

Con la práctica de los ejercicios, el cuerpo y la mente se armonizan.
Existe una regla importante para la vida diaria:

«Ten compasión contigo mismo y con los demás».

Fíjate que tú estás antes que los otros.

¡En primer lugar, trátate bien!

Si eres una persona empática, siempre dispuesta a ayudar, incluso voluntaria en una asociación, perfecto. Continúa con esa hermosa actitud. Sin embargo, ¿cómo puedes ayudar a los demás si no te encuentras bien? Si te cuidas a ti mismo de manera prioritaria, las personas a quienes ayudas también se sentirán mejor.

No busques excusas como que tu jefe no podría soportar un descenso de productividad por tu parte. O que tu pareja no comprendería que descansaras cuando ella trabaja como una loca. En ambos casos, tú tienes toda la razón. Si tu estado empeora, ni tu jefe ni tus seres queridos saldrán ganando. Frena un poco, se trata de tu vida.

Si eres una persona activa, nada te impide ir a trabajar, sobre todo si has sufrido pocas crisis. No es necesario parar sistemáticamente para evitar todo tipo de situaciones, porque es posible que esto te provoque una crisis de angustia o de pánico. ¡No huyas! Te quedarías atrapado en casa, entre cuatro paredes, dándole vueltas a la cabeza todo el día. Esto mismo se aplica si tienes alguna afición. ¡Adelante con ella! Pero si se trata de entrenar como un condenado o de apuntarte a un maratón intelectual, es mejor que declines la invitación. Disfruta sin hacer esfuerzos.

No lo olvides: estás en una etapa de ataque. Debes tomar decisiones radicales por tu bienestar.

¡No trabajes en exceso!

El exceso de actividad está desaconsejado.

Ahora bien, la televisión no es tu mejor aliada, ni mucho menos los videojuegos. Acuéstate, lee, sueña despierto, cierra los ojos, duerme… Entra en modo hibernación.

Este es el momento en que los pitidos de los oídos me alertan de lo que piensan algunos lectores: «¡Es muy fácil decirlo! ¡Con los niños, el trabajo y la casa, es imposible hacer otra cosa!». Comprendo este argumento. Hubo una época de mi vida que me pasaba entre tres y cuatro horas al día en el coche, en los atascos de la región de París, para trabajar unas cincuenta o sesenta horas a la semana. Era un trabajo apasionante, pero yo sabía que no podía resistir ese ritmo mucho tiempo. La vida está hecha de elecciones y prioridades. Si estás leyendo este libro será porque sufres o porque alguien cercano a ti sufre. En este último caso, ayuda a esa persona. Asume algunas obligaciones de la vida diaria para descargarla. Ella debe aprender a luchar contra sus crisis de angustia. Tú eres uno de los apoyos que ya hemos mencionado (página 49). En el caso de que te sientas bien gestionando tus crisis solo, aprende a establecer tus prioridades. Quédate menos tiempo en el trabajo, baja el ritmo de actividades, delega más, etc.

Atención: no te quedes encerrado entre cuatro paredes todo el día. Se trata de descansar, no de estar inactivo.

6.ª fase: aliméntate correctamente

Cuando estamos bajos de ánimo, intentamos compensar nuestro malestar con placer. Si eres un epicúreo de la comida, te aconsejo que no sobrecargues tu organismo con grasas saturadas y azúcares rápidos. Te recuerdo que las crisis de angustia y de pánico tienen un origen traumático. **Ha llegado el momento de sentirte bien con tu cuerpo y con tu mente.** Cuida lo que ingieres con el fin de aligerar la carga de trabajo de tus células. Por favor, evita la comida rápida y los alimentos grasos y ricos en calorías, así como los dulces. El secreto, como en todo, es no caer en los extremos. Se puede tomar una hamburguesa a la semana. Pero todos los días no te ayuda en nada. Para algunas personas, una sola comida compuesta de grasas saturadas a la semana puede ser perjudicial para su salud.

EN LA PRÁCTICA

Desintoxicar el hígado

Un buen hábito, que nos viene de la medicina tradicional india, la medicina ayurvédica, consiste en desintoxicar el hígado tomando cada mañana, en ayunas, un gran vaso de agua templada. Hay que calentar el agua en un cazo o en un hervidor, no cogerla directamente del grifo.

Añade el zumo de medio limón biológico (de este modo evitas los pesticidas) cada tres días.

El hígado es también, simbólicamente, la sede de las emociones, en particular de la ira. Es muy beneficioso cuidar de este órgano, el más voluminoso que tenemos, ¡con un peso de más de dos kilos!

EVITAR LAS CRISIS DE ANGUSTIA Y DE PÁNICO

Recuerda que tu organismo necesita alimentarse de manera saludable durante el periodo de crisis, ¡incluyendo fruta y verdura! Todo es cuestión de equilibrio. No se trata de ponerte a dieta. Evita simplemente los excesos alimentarios. Disminuye el consumo de algunos alimentos e incrementa el de aquellos que son beneficiosos para aliviar las crisis de angustia. Si caes en la tentación de tomar una copa de vino y un trozo de tarta, no te des cabezazos contra la pared diciéndote que nunca lo conseguirás. Porque, sencillamente, no es verdad.

Alimentos que debes eliminar o consumir esporádicamente

Azúcares refinados

Las golosinas, los refrescos y los postres dulces producen una drástica variación del nivel de glucosa en sangre. Estás estimulado y, de repente, tu cuerpo se queda exhausto. En el caso de las crisis de angustia, se trata de conseguir la armonía a largo plazo, no de ganar los 100 metros lisos.

Alcohol

Es estupendo sentir esa ligera embriaguez que nos invade después de tomar un par de copas... ¡Mala idea! En efecto, el alcohol nos desinhibe, pero también hace salir la angustia, incluida la que se encuentran bien escondida en el fondo de la mente. Hay que evitarlo por completo.

Cafeína

Este conocido excitante estimula el sistema nervioso. Fantástico, salvo por el hecho de que tu sistema nervioso ya está destrozado por la ansiedad. Es mejor que prescindas del café durante una temporada. Puedes tomarlo descafeinado y disminuir su consumo en cualquier caso.

Alimentos amigos

Toma, siempre que puedas, alimentos biológicos. No te imaginas los tratamientos químicos, tanto para acelerar el crecimiento de frutas y verduras, como para prevenir enfermedades, que se aplican a los alimentos que consumimos. Las grandes cadenas de supermercados se apuntan a lo bio a precios razonables.

Aquí tienes una lista de alimentos beneficiosos para tu salud. Si no te gusta algún alimento en particular, no te fuerces. ¡Insisto en que esta obra no es un libro de tortura!

Chocolate negro
Es preferible el que tiene un contenido mínimo de cacao del 70%. El magnesio que aporta es una ayuda para combatir la falta de energía. Además, está el placer de comerlo, ¡por supuesto!

Pescado azul, como el salmón
El salmón, el atún y el arenque son beneficiosos por su aporte en ácidos grasos omega 3, que refuerzan la tasa de melatonina, la hormona del sueño y de los ritmos biológicos. Por desgracia, los peces también son las primeras víctimas de lo que el hombre vierte al mar. Consúmelos, pero no a diario.

Ajo
Terrible para el aliento, el ajo es, sin embargo, un excelente alimento antiestrés. Contiene, entre otras cosas, hierro y tam-

bién magnesio. Es un alimento muy completo y beneficioso para la salud, al que se le podría dedicar un libro entero.

Frutos secos

Ricos en minerales, fibra y vitaminas, son unos aliados excelentes para luchar contra las crisis.

Alimentos completos

Contienen magnesio y triptófano, precursor de la serotonina, que es un transmisor químico que influye en la regulación del estado de ánimo.

La lista podría ser larga. Una vez más, como puedes comprobar, hay cierta lógica en estos ejemplos. Consume sobre todo alimentos saludables y reduce al máximo la presencia de los demás.

TRUCOS Y ESTRATEGIAS

Esnifa... aceites esenciales

Incluyo en esta parte los aceites esenciales. No hay que tomárselos, sino olerlos.

El principio es simple: entra en una tienda de aceites esenciales que tengan probadores disponibles. Huele unos cuantos y quédate con el que te produzca mayor bienestar. Puede ser el de naranja, que te recuerda los huertos de naranjos de tu infancia, por ejemplo. Asocia el aceite esencial a un recuerdo o a un suceso agradable.

Compra el aceite y, cada vez que te sientas abatido, cansado o que notes cómo te invade la angustia, aspira su olor. Te producirá un placer tan intenso que casi llegarás a olvidarte de tus miedos. La dulce sensación de estar protegido te reconfortará. Es muy eficaz.

7.ª fase: frena tu ritmo de vida

Si eres de los que corren en todas direcciones, relájate. Para el caso de que me repliques que no tienes tiempo, te responderé que se impone reorganización. Elimina de tu agenda todos esos microinstantes que contaminan tu vida diaria, que fragmentan tu ritmo vital y te hacen perder un tiempo precioso. Te sugiero que elimines todas las tareas superfluas. Si eres consciente de ello, habrás dado un gran paso hacia delante.

Ten un horario regular para acostarte. Salir a bailar, irse de marcha con los amigos varias veces al mes, ver la televisión hasta el amanecer, participar en actividades a horas intempestivas o pasar todo el fin de semana fuera de casa no son cosas recomendables cuando se sufren crisis de angustia y de pánico. Sí a las salidas, por supuesto, pero con moderación. Es vital que te relajes.

El empleo del tiempo

Te propongo el siguiente ejercicio: **describe cómo vas a emplear el tiempo de los próximos 7 días,** con toda honestidad y sin sentirte culpable. Empieza por mañana. Apunta simplemente lo que harás, sin indicar el horario.

Por ejemplo:

Día 1

Levantarme, desayunar, llevar a los niños al colegio, curso de pintura, compra, comer, siesta, planchar, recoger a los niños, merienda, deberes, cena, fregar los platos, ver la tele, etc.

Día 2

Levantarme, sacar al perro, desayunar, transporte público, trabajo, comida, trabajo, compra, tintorería, curso de zumba, cena, etc.

Ya has entendido la idea. ¡Ahora te toca a ti!

....

Día 1

....

....

Día 2

....

....

Día 3

....

....

Día 4

....

....

Día 5

....

....

Día 6

....

....

....

Día 7

....

....

A continuación, analiza y reorganiza tu empleo del tiempo. Si tienes pareja o familia, intenta encontrar momentos de descanso.

Reduce actividades cuanto tu tiempo esté sobrecargado. Un curso de zumba, seguido de una copa con los amigos antes de ir al cine y a un restaurante coqueto es una acumulación de actividades que no contribuye a la desaparición de las crisis de angustia. Tienes que elegir.

8.ª fase: sal de casa todos los días

Este es uno de los ejercicios más difíciles de llevar a cabo. Me refiero en particular a las personas que sufren crisis de angustia desde hace meses, años incluso. La idea de dar un paso fuera de casa sin ir acompañado te paraliza. Es indudable que tienes miedo a sentirte mal y a sufrir los rigores de una crisis devastadora que te dejará clavado en el sitio. Lo comprendo. Sin embargo, los consejos anteriores te ayudarán a dar ese paso. Por esa razón, este ejercicio es la última fase de la etapa.

EVITAR LAS CRISIS DE ANGUSTIA Y DE PÁNICO

Como probablemente has intuido, voy a pedirte que salgas solo de casa al menos una vez al día. Para algunos será muy fácil, y para otros, una pesadilla. En cualquier caso, hay que hacerlo.

Ya sea caminar diez metros y volver a casa o ir a trabajar todo el día, lo importante para mí (y sobre todo para ti) es que salgas. Haz un esfuerzo. Acepta que te mareas, que las piernas te tiemblan y que la mente te falla. No vale ninguna excusa. **Llueva, truene o relampaguee, sal a tomar el aire fuera de los límites de tu vivienda.**

No te aísles

El objetivo de este consejo no es que te oxigenes los pulmones. En el caso en que las crisis de angustia empiezan a aparecer, podrías incluso considerar esta recomendación extraña. De hecho, para el común de los mortales, un día sin salir puede ser un descanso. Pero, por desgracia, tú no formas parte de esa casta de privilegiados. Al menos, de momento.

Sufres una patología que amenaza con dejarte encerrado para siempre entre cuatro paredes.

Como ya he explicado, si la intensidad y la frecuencia de las crisis aumentan en distintos lugares, acabarás por no ir a ningún sitio. Tu casa será tu único refugio. Al menos, eso es lo que piensas, porque cualquier día puedes sufrir una crisis de angustia en una de las habitaciones de la casa o del apartamento y, poco a poco, evitarás entrar en ella. Si es el sótano, seguro que puedes arreglártelas para no visitarlo. En cambio, imagina que no pudieras entrar en el aseo, el baño, el dormitorio, el salón o el comedor…

A continuación, vamos a intentar superar esa situación extrema. Si ya has llegado a ese nivel, aplica rigurosamente todos los consejos anteriores y pon un pie fuera de casa. Al principio, hazlo acompañado por una de tus personas de apoyo (véase la página 49). Después, se quedará mirándote de lejos, mientras tú vuelas solo. Por último, saldrás solo de casa. Es mejor recorrer diez metros y regresar que no salir en absoluto.

> *Si has sufrido una primera crisis de angustia seguida de un ataque de pánico, tienes que actuar cuanto antes. A partir de mañana, sal de casa solo.*

No busques ninguna excusa. Sea cual sea el tiempo o la situación, ¡asoma la nariz fuera de casa!

¡Tu turno!

¿A dónde irás mañana?

....

¿Y pasado mañana?

....

Cuando vuelvas, ya sea al cabo de cinco minutos o después de pasar diez horas fuera de casa, ¡felicítate!
Anímate con frases como:
«¡Genial, lo he conseguido!»
«¡Soy el mejor!»
«¡Estupendo, he vencido a mi angustia!»
Como siempre, **exprésate en tono afirmativo y en presente.**
Evita decir: «Ya no tendré más crisis de angustia»

Esta observación sirve para todos los niveles de tu recuperación. Cada una de tus pequeñas victorias es un paso más hacia el triunfo.

A fuerza de practicar la autofelicitación, refuerzas el mensaje destinado a la mente.

EN RESUMEN

Estos son los puntos esenciales de la segunda etapa:

1. **Insulta a la angustia.**
2. **Mantente erguido.**
3. **Conéctate a la Tierra cada mañana durante 30 segundos.**
4. **Respira: practica la coherencia cardiaca tres veces al día.**
5. **Descansa.**
6. **Aliméntate correctamente y respira un aceite esencial.**
7. **Frena tu ritmo de vida.**
8. **Sal de casa todos los días.**

Este es el esquema clásico de las acciones que debes emprender. Cuando estés curado, al menor signo de alerta, insulta sin freno a tus pequeñas angustias apenas empiecen a aparecer. Mantente erguido para que a tu cuerpo no le falte el aire. Respira correctamente con el fin de mejorar la resistencia al estrés y a la depresión sin medicamentos. Por último, evita quemarte en todos los aspectos de la vida.

Eres un ser humano. Cuando tensas demasiado la cuerda, todo tu ser te llama al orden. Cuídalo y él te cuidará.

¿Durante cuánto tiempo debes seguir estos consejos?

¡Toda la vida, por supuesto! O casi. Al final de este libro veremos cómo organizar la vida después de las crisis.

CAPÍTULO 6

ETAPA 3:
LA CONSOLIDACIÓN

«Cada obstáculo se doblega con una férrea determinación.
Quien tiene la mirada puesta en las estrellas no cambia de idea.»
Leonardo da Vinci

Pasemos a la etapa 3 del plan de batalla, que tiene como objetivo consolidar tu estado y fortalecer tu capacidad para vencer a la angustia.

¡IMPORTANTE!

Si tienes tiempo, te aconsejo que apliques estos consejos de inmediato, como complemento de los ejercicios de la etapa anterior.

Si no tienes tiempo por cualquier razón como el trabajo, los niños, etc., te aconsejo que empieces a aplicarlos siete días después de los ejercicios de la etapa anterior. Fíjate bien que es una obligación. Tienes siete días de plazo para organizarte y meterte en la cabeza que debes encontrar el tiempo necesario para ponerlos en práctica. No olvides por qué estás aquí, en este momento, leyendo este libro. Si sirve para motivarte, recuerda el efecto devastador que te produce una crisis de angustia. Además, en esta fase, existe la tentación de pensar que las crisis se han superado, que ahora todo va bien, y que, a priori, estos ejercicios son inútiles. Grave error. Hasta ahora, hemos construido los cimientos y levantado los muros. Falta poner el tejado e instalar dos o tres accesorios para que estés realmente fuera de peligro. ¡Gracias por implicarte en el logro de tu propio éxito!

1.ª fase: practica un deporte

Si hace tiempo que no practicas deporte, pasa primero por la «casilla» del médico. Aunque seas un avezado deportista, lleva cuidado con la primavera, estación mortal en la que florecen los infartos en aquellas personas que retoman la actividad física sin preparación, después de haber dejado de entrenar en otoño e invierno.

Elige un deporte que te haga sudar. ¡Tienes que moverte! Correr, marcha nórdica, montar en bici, zumba…, da igual. Haz lo que te guste. ¡Pero suda la camiseta!

Aquellos a los que el mundo exterior les produce ansiedad, que practiquen en casa: bicicleta estática, curso de gimnasia en Internet, cinta de correr, etc. Si eres de los afortunados que tienen un gran terreno alrededor, sal de casa y haz deporte en el jardín. Lo importante de este consejo no es apuntarse a un club, sino moverse y fortalecer la forma física, sobre todo el sistema cardiovascular.

¡RECUERDA!

¡No más de 30 minutos!

La práctica del deporte es un medio excelente para resistir mejor el estrés. Solo tiene una condición y es importante: no practicar más de 30 minutos seguidos. Si se sobrepasan, puede generar ansiedad. ¿Por qué? Si eres una persona deportista, ya sabrás que la idea de tener una pequeña herida que pudiera impedirte entrenar es fuente de gran angustia, simplemente porque se ha convertido en una droga de la que no puedes prescindir. Dicho de otro modo, si estás empezando, no te lances a entrenar varias horas, porque el día que no puedas hacer deporte te angustiarás. Mantente en el límite de los 30 minutos. Es preferible entrenar 30 minutos, tres veces por semana, que hora y media una sola vez.

Felicítate después de cada sesión. El espíritu de competición es un acicate para la voluntad.

Si al principio notas los síntomas de una crisis de angustia, como la sensación de mareo, no lo dejes. Aplica el primer remedio: ¡insultar a la angustia! (véase la página 55).

Persevera en la práctica de un deporte que te moviliza y resistirás mejor frente a la angustia. De este modo, te preparas también para después, cuando ya estés curado, con el fin prevenir la reaparición de las crisis.

2.ª fase: relájate

Es muy fácil decirlo, pero no ponerlo en práctica. Estás en una etapa de tu vida en la que relajarte es bastante complicado. Desde la primera crisis de angustia o de pánico, te encuentras inmerso en un estado de estrés tal que te parece imposible de controlar. Sueñas con recuperar una vida normal, sin miedos, pero la tarea te parece inabordable.

El consejo puede parecer simple, casi ingenuo, pero constituye uno de los elementos fundamentales de este método.

En la práctica

Hazte con un CD de relajación guiada. ¿En qué consiste? Pues en tumbarse, tranquilo, con los ojos cerrados, y escuchar una voz que te acompaña hacia un estado de profundo relax. Por lo general, son relajaciones con un escenario. Por ejemplo, te encuentras a la orilla del mar, mecido por el ritmo de las olas…

Elige tu CD con cuidado:

■ La voz de la persona que habla debe resultarte agradable. Si te pone nervioso, escucha otro antes de comprarlo.

■ La duración de las pistas no debe superar los 20 minutos. Como te habrás dado cuenta, tienes que practicar varios ejercicios y adoptar nuevos hábitos que se llevan su tiempo. Sobre todo, el deporte. Es importante no sentirse desbordado por la cantidad de tareas que se han de realizar.

■ Elige uno o varios escenarios que te gusten. Si no soportas el ruido del agua, no compres un CD que te sitúe a la orilla de un arroyo.

Escucha el CD una vez al día. Es inútil hacerlo con más frecuencia. Insisto en que debes dedicarte tiempo. Es preferible que hagas todos los ejercicios del libro a que te centres en uno solo.

TRUCOS Y ESTRATEGIAS

Cambia de CD

Si estás cansado de oír el canto de los pájaros, busca otro CD. Algunos incluso contienen varios escenarios diferentes. Ante todo, disfruta. Este momento de relajación es un tiempo de profunda compasión hacia ti mismo. Envía un mensaje de serenidad a tu cuerpo y a tu mente. Te lo agradecerán.

Al principio, puedes desear que la relajación guiada termine pronto. Puedes tener la sensación de perder el tiempo, pensar en cualquier cosa en lugar de relajarte: en las facturas que debes pagar, en un compromiso o una tarea pendiente, etc. Te bullirá la mente. ¡No importa! Cuanto más perseveres, más satisfacción encontrarás en seguir la voz que te conduce hacia una dulce felicidad.

Si eres una persona dinámica, hiperactiva, a quien le cuesta estarse quieta, al principio este ejercido te resultará un poco difícil. Persevera. Llegará un momento bisagra en el que el placer será mayor que el fastidio. Practica una vez al día, todos los días, o, al menos, cada dos días.

3.ª fase: crea un anclaje de bienestar

Como ya he comentado, este anclaje es diferente del ejercicio de conexión con la Tierra que hemos visto antes (página 60).

Consiste en señalar, en recordar a tu cuerpo y a tu mente, el día en que estén en baja forma, que has vivido, en un momento clave de tu vida, un estado de bienestar absoluto.

¿Cómo se hace?

¡Es muy sencillo! En el momento que te encuentres muy relajado, pellízcate un dedo con dos dedos de la otra mano. Lo bastante fuerte para que lo sientas, pero, por supuesto, sin hacerte daño. La finalidad es fijar ese instante en tu memoria.

Repite este gesto cada vez que escuches el CD si te sientes en plena forma. Si el CD te ha puesto nervioso y te pellizcas el dedo, estarás anclando la noción de nerviosismo…, cosa que debes evitar por completo.

Puedes reforzar el anclaje pellizcándote el mismo dedo en otro momento en que te sientas sereno. Por ejemplo, en un paseo por la orilla del mar o por la montaña, en una cena romántica, ¡o incluso en un viaje a un lugar mágico!

Lo más importante es reforzar el anclaje con frecuencia. En cuanto te sientas en un estado de total plenitud, pellízcate el dedo.

El día que te encuentres en un estado de angustia, toca el dedo que has pellizcado. Así le recuerdas a todo tu ser, gracias a esta señal, lo bueno que es sentirse optimista, relajado y libre de angustia, como en esos días maravillosos en los que te has pellizcado. Este gesto sirve para contrarrestar la crisis que está a punto de producirse.

Coge el aceite esencial que te has comprado (véase la página 72) y haz la prueba. Huélelo, asóciale un recuerdo feliz y pellizca el meñique de la mano izquierda con los dedos de la mano derecha. Si luego estás rodeado de amigos, pasando un buen rato, refuerza este anclaje pellizcando de nuevo en el mismo sitio.

A la orilla del mar, miras a tu pareja y a tus hijos que están felices, alzas los ojos al cielo bajo un sol radiante… Pellízcate también.

Reunión de trabajo. Presión por todas partes. Hartura general. Sientes aparecer la crisis de angustia. Acaríciate el meñique en el lugar que lo has pellizcado. De inmediato, vas a experimentar las mismas sensaciones que tuviste el día que lo pellizcaste: un concentrado de placer, amor y alegría.

Repite el ejercicio mientras sufras las crisis.

4.ª fase: analiza las causas de la angustia

Ya hemos iniciado este trabajo durante la etapa de preparación (capítulo 4). Ahora vamos a llegar al fondo de las cosas y a encontrar, sin duda, las causas de tus crisis de angustia y de pánico.

Como ya hemos visto, el origen de la primera crisis se halla en un trauma físico o emocional —a veces, de ambas naturalezas—, seguido de un gran cansancio. Todo se acumula de manera disimulada o abierta hasta que la mente se agota y provoca la crisis de angustia.

Es el momento de identificar esos desencadenantes.

Realiza un trabajo de introspección

¿Qué te pasó en los seis meses anteriores a la primera crisis? ¿No te trataban bien en el trabajo? ¿Sufriste un choque emocional? ¿Dormías mal? ¿Estabas estresado o deprimido? ¿Recuerdas algún situación difícil de manejar en la familia, con los amigos o los compañeros de trabajo?

Escribe a continuación lo que hayas descubierto:

....

....

....

....

Un día vino a verme alguien que se preguntaba cómo había podido llegar a ese estado de angustia y de cansancio que nunca había experimentado antes, cuando sus amigas la describían como una persona muy dinámica. Después de hacerle algunas preguntas, supe que participaba, a sus 74 años, en una docena de actividades diferentes, sin contar con que se ocupaba de su marido, de fuerte carácter, que, **según ella,** no le daba tregua. Dos o tres discusiones, **según ella** sin importancia, con miembros de la familia, acabaron por agotar su capacidad de resistencia al estrés.

Al igual que esta mujer, abre los ojos. Toma conciencia, durante esos seis meses, de los acontecimientos que te han podido marcar y traumatizar a lo largo de tu vida. También pueden haber influido tus costumbres. ¿Te acuestas demasiado tarde? ¿Comes sano?

Una de tus personas de apoyo te puede ayudar a realizar este ejercicio. A veces no tenemos la perspectiva necesaria para darnos cuenta de que algo no marcha o no marchaba bien en un momento dado de nuestra vida. Su ayuda será muy valiosa.

Debes escuchar lo que te diga sin juzgarla ni acusarla de mala fe. Escucha sin enfadarte lo tenga que te decirte. Puede que te parezca agresiva o demasiado amable, hiperactiva o de una lentitud exasperante, cansina o cansada… Quizás te ayude a encontrar la frase que te dirigió uno de tus seres queridos, en apariencia intranscendente, pero que te hirió en lo más profundo de tu ser.

Cuando hayas escrito las posibles causas en un papel, lee la lista y evita por todos los medios repetir esos errores.

5.ª fase: elimina el origen del estrés

Como hemos visto, algunas personas tienen un exceso de ocupaciones. Van de compromiso en compromiso, bien sean de carácter profesional o de ocio. Las actividades y las reuniones se suceden, incluso a horas tardías. No se dan cuenta de que pasa el tiempo ni dedican un minuto a su propio bienestar. En lugar de esto, participan en obras de caridad, ayudan sin cesar a sus amigos y siempre son las primeras echar una mano a los que reclaman atención. Estas personas se encuentran en permanente actividad y, por esta razón, se olvidan por completo de ellas mismas.

Recuerda esta importante regla de vida:

«Ten compasión contigo mismo y con los demás».

Léela cinco veces, con calma, pronunciando bien cada palabra.
¿Qué significa este precepto fundamental?
Que te cuides.

Si te reconoces en el retrato anterior, hazte esta simple pregunta:
¿de qué huyes para emplear así tu mente y tu cuerpo?

Es imprescindible que frenes tu ritmo de vida mientras sufras crisis.

¡Huye de los pesimistas!

Hay personas que mantienen relaciones destructivas. Se codean con individuos manipuladores, muy negativos, o, sencillamente, ¡que no les gustan!

En este momento, necesitas buenos pensamientos, positivos y llenos de optimismo. ¡No seas masoquista! Busca la compañía de personas sonrientes y abiertas, que te escuchen y te animen. ¿Por qué misteriosa razón querrías conversar con alguien que durante todo el año te habla de sus desgracias y de su miserable vida? Si esa persona tuviera el menor sentido de la amistad, te ayudaría a avanzar sin poner en primer plano su negatividad en vuestras charlas. En este momento, no tienes ninguna necesidad de oír esas cosas.

Es normal estar deprimido cuando se sufren crisis de angustia. Haz una limpieza en tus relaciones. Siempre habrá tiempo, cuando te encuentres mejor, de volver a escuchar, en pequeñas dosis, las desgracias de los demás. Mientras tanto ¡sonríe y ríete! Rodéate de sol y no de nubarrones.

¿Cómo te va la vida profesional?

Abordemos, para terminar, el trabajo. ¿Te levantas de buen humor por la mañana para ir a trabajar? ¿Hay tensiones? ¿Tienes un proyecto o un sueño profesional que no te atreves a poner en práctica? ¿Sufres acoso laboral?

En resumen, ¿qué hacer si no eres feliz en el plano profesional?

Por supuesto, no se trata de presentar tu dimisión. Dicho de otro modo, si trabajas demasiado, empieza por bajar el ritmo. Si algunos compañeros se pasan el tiempo contándote que su trabajo es el peor del mundo, apenas les escuches. No te impliques. No entres en su juego hablando de tus propias desilusiones. Sería una sucesión infinita de quejas y estrés. ¡Aléjate de ellos! Busca, como hemos visto, la compañía de personas optimistas.

Si el problema es un compañero, habla con tu superior jerárquico. Si es el jefe, otros ejercicios de este libro te permitirán **tomar distancia.** La ira es mala consejera en este momento. Ya habrá tiempo de ajustar cuentas sin agresividad cuando hayas superado tus crisis de angustia. Tus palabras podrían ser más rápidas que tus pensamientos y te encontrarías en un grave aprieto, de consecuencias nefastas para tu curación. No ayuda crearse una causa más de estrés, nerviosismo o cansancio.

6.ª fase: ríete

¿Cómo esbozar la menor sonrisa cuando se sufren crisis de angustia? ¡Verás que es más simple de lo que parece!

En primer lugar, mira a las personas que te rodean y lo que pasa en el mundo. **Toma distancia.** No se trata de soltar un lacónico: «Sí, es verdad, hay gente que está peor que yo», sino de relativizar tu situación. No eres un moribundo. Mañana seguirás vivo. Es cierto, una crisis de angustia no es agradable, pero el dolor físico se puede tratar. Tu mente desvaría, pero no estás internado. Si estás rodeado de gente, piensa en las personas que te acompañan, en tus apoyos (página 49). Piensa en tu familia y tus amigos. ¿Te sientes solo? Mira el cielo azul, la sonrisa que te cruzas en la calle o la belleza de un paisaje en la que no te has fijado de tanto pasar por delante.

Presta atención a los signos positivos de la vida cotidiana.

En la práctica

- Ve películas, dibujos animados o series que te hagan reír.
- Lee chistes en Internet.
- Relaciónate con gente divertida.

Aquí tienes dos ejercicios eficaces:

1. Cada mañana, después del ejercicio de anclaje en el borde de la cama (véase la página 61), ve al baño. Mírate en el espejo y haz un esfuerzo por sonreír. Estira las comisuras de los labios hacia el exterior de la cara. Tu mente te hará reír. ¡Pruébalo!

2. Ponte una goma en la muñeca. Da igual el color. Cada vez que tengas un pensamiento negativo, tira de ella. ¡Ay! A continuación, piensa en algo positivo.

Por ejemplo:

- «Mi jefe es un incordio.» Tiro de la goma. ¡Ay!
- «Hoy el cielo tiene un color precioso.» Sonrío.
- «Aún no ha puesto a la mesa». Tiro de la goma. ¡Ay! Me encanta cuando me abraza»

Es más agradable, ¿verdad? Para conseguirlo, es necesario realizar un trabajo constante, pero reconoce que el tiempo que reclama es ínfimo en comparación con los beneficios que ofrece.

EN RESUMEN

Al final de la tercera etapa, estos son los puntos importantes:

1. **Practica un deporte.**
2. **Relájate.**
3. **Crea un anclaje de bienestar.**
4. **Analiza las causas de la angustia.**
5. **Elimina el origen del estrés.**
6. **¡Ríete!**

Lista de verificación de las etapas 1, 2 y 3

¡Alto!

Casi lo hemos conseguido.

Antes de continuar con la siguiente etapa, vamos a comprobar que todo ha ido bien y que has seguido correctamente los consejos dados hasta ahora.

Marca las casillas cuando hayas superado la etapa correspondiente.

☐ *1. Hazte un reconocimiento médico*

Has consultado con un médico que te ha confirmado el diagnóstico. Ahora estás seguro de que sufres crisis de angustia. Puedes ejecutar el plan de batalla.

☐ *2. Mantente muy motivado*

Si estás dispuesto a ganar la batalla contra las crisis, nada ni nadie podrá detenerte. Tienes una mente de acero.

☐ *3. Busca el origen de tu angustia*

Si sufres crisis, es porque hay una causa personal o profesional. Empieza a elaborar la lista.

☐ *4. Acepta los síntomas*

Da la bienvenida al mareo y a la taquicardia…

☐ *5. Busca personas de apoyo*

Puede ser un amigo o un familiar. Pídele a alguien que te acompañe, que simplemente esté ahí. No te quedes solo en tu rincón. No te avergüences de este enemigo invisible. Elige entre dos y cinco personas. Estos apoyos serán una ayuda valiosa, como una muleta. ¿No encuentras a nadie que pueda respaldarte? Recurre entonces a la ayuda externa, ya sea social, religiosa o psicológica.

☐ 6. Insulta a la angustia

Sea cual sea tu vocabulario coloquial, date el gusto. En cuanto te invada la angustia, insúltala como si fuera tu peor enemigo. ¡Se lo merece!

☐ 7. Mantente erguido

Siéntete orgulloso del ser humano que eres. Mira hacia delante, con la columna vertebral bien recta. No rehúyas el mundo que te rodea. Desafía a los primeros síntomas si empieza a manifestarse una crisis, en particular al mareo. E insulta...

☐ 8. Conéctate a la Tierra

Cada mañana, sentado al borde de la cama, imagina durante 30 segundos que grandes raíces bajan desde tus muslos hasta el centro de la Tierra, atravesándote los pies. Te mantienen en equilibrio. Tienes una estabilidad a prueba de bomba. Siente los pies pegados al suelo.

☐ 9. ¡Respira!

Practica la coherencia cardiaca. Con un reloj delante, 5 minutos, tres veces al día: inspira durante 5 segundos por la nariz, hinchando el vientre, y espira a continuación por la boca, durante 5 segundos, contrayendo el vientre.

☐ 10. Descansa

Dedícate un tiempo a no hacer nada. Cierra los ojos, duerme la siesta, duerme sin más. Si trabajas, no hagas esfuerzos. Es el momento de sentir compasión hacia ti mismo. No llenes cada segundo de tu tiempo con una actividad, con la esperanza de escapar de las crisis de angustia.

☐ 11. Aliméntate correctamente

Evita el exceso de grasas y dulces. Toma fruta y verdura. Tus células necesitan que les eches una mano para salir de la situación. ¡Ayúdalas a ayudarte!

☐ 12. Frena tu ritmo de vida

Optimiza el empleo del tiempo. Elimina de tu agenda todos esos microinstantes que contaminan tu vida diaria, que fragmentan tu ritmo vital y te hacen perder un tiempo precioso.

☐ 13. Sal de casa todos los días

A ser posible, solo. No importa que recorras diez metros fuera de tu domicilio o varios kilómetros. Según el nivel de tus crisis, lo importante es salir. Cada día, sin falta. Por supuesto, puedes pedir a una de tus personas de apoyo (consejo número 5) que te mire desde lejos si esto te ayuda. Pero en ningún caso debe acompañarte todo el tiempo.

¡Felicítate cuando regreses! ¡Anímate para vencer! ¡Dite que eres el mejor después de cada éxito!

☐ 14. Practica un deporte

Olvida la petanca. Elige un deporte que te guste y te haga sudar. Acude al médico antes de comenzar para que evalúe tu condición física. A continuación, practica sesiones de 15 a 30 minutos. Para empezar, es suficiente con hacerlo tres veces por semana. Si lo necesitas, aumenta la frecuencia, ¡pero nunca hagas más de 30 minutos de deporte seguidos!

☐ *15. Relájate*

Consigue un CD de relajación guiada. Lo ideal es que, el primer mes, lo escuches todos los días; si no es posible, cada dos días. La contemplación de las playas musicales no debe durar más de 20 minutos. No dudes en cambiar de escenario para evitar el nerviosismo o el aburrimiento.

☐ *16. Crea un anclaje de bienestar*

Cuando te sientas maravillosamente bien, en un estado de total serenidad y felicidad, crea un anclaje. Pellízcate el meñique de una mano mientras te haces consciente de tu gran bienestar. Cuando te sientas angustiado, toca ese mismo dedo recordando el bienestar que sentías cuando lo pellizcaste.

☐ *17. Analiza las causas de la angustia*

No hay escapatoria posible. En esta fase estás obligado a indagar en tus relaciones con los demás y con el entorno. Haz una lista de los acontecimientos cruciales, de carácter emocional, que ocurrieron el año anterior al inicio de las crisis. Pide ayuda a una de tus personas de apoyo. Háblalo con ella.

☐ *18. Elimina el origen del estrés*

Ahora que has establecido los motivos que te han llevado a sufrir crisis de angustia, se trata de evitar que esas situaciones se repitan.

- Aprovecha para evitar la compañía de personas pesimistas y negativas.
- Practica los ejercicios anteriores con obstinación.
- Disminuye tu implicación en actividades agotadoras, que se tragan el tiempo, ya sean de ocio o de trabajo. Recuerda que los cementerios están llenos de personas convencidas de que no tenían tiempo para nada más que para correr en todas direcciones. La vida se encargó de pararlas. Cuídate.

☐ 19. ¡Ríete!

Rodéate de personas que sonrían y ve películas cómicas. Mírate al espejo y haz un esfuerzo por sonreír cada mañana. ¡Haz también restallar una goma en la muñeca! (véase la página 92).

Hago una pausa

Acabas de leer 19 consejos. ¿Los has seguido todos? ¿Hay algunos que te gustan menos? ¿Por qué? Haz un balance. En este nivel del método, tienes a tu disposición un gran número de herramientas útiles para luchar contra tus crisis.

....

....

....

....

....

....

....

....

....

¿Preparado para continuar?

¿Has superado cada una de las etapas de la lista? ¡Estupendo! Sigamos ahora con otras herramientas complementarias que te prestarán una gran ayuda.

CAPÍTULO 7

ETAPA 4:
PEQUEÑAS HERRAMIENTAS
CON GRANDES PODERES

«Si quieres ser feliz, sé feliz.»

Proverbio chino

Ahora te presentaré varias pistas complementarias que te ayudarán a mejorar aún más tu bienestar y a librarte de las crisis de angustia y de pánico. Al contrario de lo que sucede con los consejos de las tres primeras etapas, no están organizadas con ningún orden concreto y no es necesario emplearlas todas. Sin embargo, si utilizas sistemáticamente estas herramientas, estarás aprovechando todas las oportunidades de mejorar y estabilizar tu situación.

Como comprobarás, también son muy sencillas de poner en práctica. Entonces, ¿por qué privarte de ellas?

En mi opinión, deberías **utilizarlas todas durante dos semanas por lo menos,** con excepción de una que es opcional y que te indicaré. Si alguno de los consejos o ejercicios no te sirve, abandónalo, pero dale al menos una oportunidad. No los consideres inútiles o idiotas. Pueden desempeñar un papel en la recuperación de tu vida normal. Son seis.

Escribe un diario

El objetivo es volcar el estrés y liberarte de la carga. En la etapa anterior, has identificado las causas de las crisis de angustia. Ahora en importante librarse de ellas. Para ello, nada como escribir un diario. Es silencioso y permanecerá callado como una tumba. Todos tus secretos estarán bien guardados.

Tienes dos opciones a tu disposición: la primera es comprar un cuaderno y escribir a mano; la segunda, utilizar el ordenador o la tableta.

En papel

Te aconsejo que quemes o pases por el destructor de papel todas las hojas que hayas escrito. Si no, siempre te agobiará la idea de que alguien podría leerlas, lo que te impedirá expresarte con toda franqueza y sin tabúes.

En el ordenador, la tableta o el *smartphone*

Hay menos riesgo de que alguien lea tus secretos. Pon una contraseña o busca un programa diseñado para ello, que encontrarás con facilidad en Internet.

TRUCOS Y ESTRATEGIAS

Reglas para escribir un diario

- Nunca releas lo que has escrito.
- Nadie más que tú debe leer tu diario. No caigas en la tentación de compartirlo con tus seres queridos, incluido tu mejor amigo o amiga para siempre.
- Las faltas de ortografía y de gramática no tienen ninguna importancia. Tampoco el estilo ni la sintaxis. No se trata de ganar un concurso literario, sino de liberar el subconsciente.
- Practica todos los días cuando sufras crisis de angustia y de pánico. Puedes escribir a distintas horas cada día. Durante el tiempo que quieras. Seguro que la primera vez tendrás mucho que contar. No es infrecuente, al principio, escribir durante 30 minutos como mínimo. Al cabo del tiempo, tendrás menos cosas que expresar. Lo importante en esta fase es escribir sin censurarte todo lo que se te pasa por la cabeza, en particular, lo que te satura la mente.

■ No juzgues lo que escribes. Hasta la frase más insignificante tiene su importancia. Eres el único lector de un libro que nunca volverás a leer. ¿Para qué darle vueltas al cómo y al porqué de lo que escribes? Vierte tus palabras en el papel o el teclado sin preocuparte de nada más.

■ Este diario te acompañará también cuando estés curado. Adquiere la costumbre de contarle hasta la menor preocupación a este compañero discreto, que no te juzgará nunca.

Inténtalo. Verás como luego te sientes más ligero, como si te hubieras quitado un peso de encima.

Solo recuerda este importante detalle: ¡tú eres el único lector!

Medita

Sí, lo sé, está de moda. Hay una razón: ¡funciona! La meditación tiene efectos positivos sobre el estrés y, por lo tanto, sobre tu situación de sufrimiento.

Más adelante encontrarás una propuesta para conciliar relajación y meditación.

No te preocupes, la técnica es mucho más sencilla de lo que parece. Ahora bien, la meditación exige siempre perseverancia. Como estás motivado para librarte de las crisis de angustia, esto no plantea ningún problema. Empieza por crear un ambiente tranquilo con velas y música suave. Apaga el móvil, la tele, la radio y cualquier otro elemento perturbador. Si vives con otras personas bajo el mismo techo, avisa de que no te molesten durante 15 minutos. Si te gusta la meditación, puedes aumentar el tiempo de las sesiones. Sin embargo, en las fases de ataque, cuando luchas de frente contra las crisis, te sugiero que no des preferencia a ningún consejo en particular. Por ejemplo, no practiques 30 minutos de deporte todos los días pensando que la meditación puede esperar. Ambas actividades contribuyen a tu bienestar. Piensa en una construcción de Lego: todas las piezas son necesarias, aunque algunas no sean tan bonitas o tan satisfactorias de colocar como otras.

En este caso, es mejor practicar 15 minutos de deporte y otros 15 de meditación.

La práctica de la meditación

- *Siéntate cómodamente, en el suelo,* con las piernas cruzadas, o en una silla. Que nada te duela. Los puristas dicen que debemos aprender a transcender el sufrimiento si la postura es dolorosa, pero yo creo que ya sufres bastante con las crisis. Cuando hayan desaparecido, ya habrá tiempo de meditar estirando un poco las articulaciones y los músculos. Si eliges una silla, el asiento debe ser firme. Si prefieres estar en suelo, con las piernas cruzadas, te aconsejo que te sientes sobre un cojín, también firme, para elevarte un poco. Estarás más cómodo.

- *Mantente derecho.* Te recuerda a un consejo que ya te he dado, ¿verdad? Al estar erguidos, respiramos mejor. La columna debe estar recta, orientada hacia el cielo.

- *Las manos* estarán sobre los muslos, con las palmas hacia arriba o hacia abajo, o una sobre otra, con las palmas hacia arriba.

- *Los ojos, cerrados.* Al iniciarte en la práctica, te aconsejo que los mantengas cerrados para no distraerte con lo que te rodea. En este sentido, no medites en el salón, mientras los niños juegan, tu marido pasa el aspirador y está la tele encendida. Medita en un ambiente tranquilo. Cuando te aficiones a la meditación, podrás dejar los párpados entreabiertos.

- *La respiración, tranquila y sosegada.* Haz inspiraciones cortas por la nariz y espira despacio por la nariz o por la boca. De la manera más natural posible. No superes los 5 segundos en cada inspiración.

- *Concéntrate en tu respiración.* Toma conciencia de que respiras. Parece evidente, pero el acto de respirar es tan automático que no le prestamos ninguna atención, salvo si tenemos dificultades para ello (tos, resfriado, etc.).

- *Hazte consciente de que respiras.* Con cada respiración natural, repite en tu interior: «Inspiro, el aire entra; espiro, el aire sale».

- *Deja que lleguen los pensamientos parásitos.* Es ahora cuando la meditación cobra todo su sentido. Te permite permanecer en el instante presente. Seguro que tienes miles de cosas que hacer más importantes que meditar: pagar una factura, llamar a alguien, mirar el correo electrónico, ordenar (o buscar) papeles... En definitiva, tu mente se encargará de encontrar todo tipo de excusas para que no te concentres en la respiración. Es normal. Cuando tengas un pensamiento parásito, deja que llegue, no lo ahuyentes. Vuelve a concentrarte despacio en la respiración. No te pongas nervioso ni te sientas culpable. Las distracciones forman parte del ejercicio.

Se cree, de forma equivocada, que la meditación consiste en no pensar en nada. Buena suerte… La meditación permite que el torrente de pensamientos fluya más despacio. ¡Pero no es en absoluto como una lobotomía! Al principio, para algunos será difícil quedarse quietos, concentrarse y dejar salir los pensamientos parásitos. Llegará el día en que notes un claro progreso y disfrutes con la práctica de la meditación.

Hasta el dalái lama ha pasado por esta fase. Persevera. Este ejercicio te permitirá frenar la incesante oleada de pensamientos perturbadores que habitan en tu mente en este momento.

Practica una vez cada dos días. Puede ser a distintas horas.

Toma el Rescue de las flores de Bach

Estos elixires florales que llevan el nombre del médico inglés que los inventó, Edward Bach, a finales del siglo XIX, tienen como objetivo la armonización del estado de ánimo. Existen en distintas presentaciones: en gotas, en pastillas para chupar, en bálsamo e, incluso, en chicle (se desaconseja esta forma, más adelante veremos los motivos). Existen distintas flores de Bach. Solo nos interesa un preparado: el Rescue o remedio de rescate.

Tomado de inmediato, el Rescue tiene como finalidad contrarrestar los efectos de una fuerte emoción.

Pruébalo en cuanto sientas que te invade la angustia. No es un producto caro. Vale la pena probarlo. A mi juicio, existe un peligro en esta solución. Si solo cuentas con este remedio y se te acaba o no lo encuentras en el fondo del bolso o del bolsillo, tendrás una crisis de angustia.

Que quede claro, el Rescue debe utilizarse como un complemento, pero no como única solución de las crisis de angustia. ¡A ver si vas a tener una crisis por el hecho de no llevarlo encima, como si fuera un amuleto!

Atención al uso en mujeres embarazadas y en periodo de lactancia, así como en los niños. ¡Es preciso leer bien el prospecto!

Sé amor

El amor en sus diferentes formas, de las primeras emociones a los apasionados retozos, estimula la producción de las hormonas del placer y del deseo, que son poderosos antídotos frente a las hormonas del estrés. La feniletilamina, la oxitocina y la dopamina, las endorfinas, la serotonina, la testosterona o las feromonas se empeñan a fondo para hacernos felices.

Ser amor también es sentirse apoyado y olvidar un poco las crisis de angustia.

No solo es cuestión, ni mucho menos, de sexualidad, libido o, incluso, vida de pareja. De manera general, sé una persona amorosa y positiva. Si estás soltero, nada te impide adoptar esta actitud y convertirla en un estilo de vida.

Si las crisis de angustia son el resultado de una separación, debes saber que ser amor significa asimismo hacer el bien a nuestro alrededor, sencillamente.

Observa a algunos lamas tibetanos que llevan en su rostro sereno el amor al otro y la compasión. El dalái lama parece encarnar en sí mismo este amor al prójimo, a pesar de los numerosos problemas que tiene su pueblo. Poseen una actitud que todos deberíamos tomar como modelo. Cuando sufrimos, solo pensamos en nuestros tormentos. Es humano. Mira ahora el mundo en sentido inverso. Aunque te encuentres mal, te ocupas del bienestar de otras personas que sufren. Ya hemos visto que, antes de nada, es preciso empezar a quererse, sintiendo compasión por todo tu cuerpo y toda tu alma. Nada te impide, a continuación y sin demora, amar a los demás.

¿Acudir a un profesional?

Es el consejo opcional que mencionaba antes. Un psicoterapeuta o un psiquiatra pueden ayudarte a resolver una situación complicada que ha provocado el estrés desencadenante de las crisis de angustia y de pánico.

Si crees que a su consulta solo acuden los locos, debes saber que nada más lejos de la realidad. Hablar con una tercera persona neutral y ajena al problema me parece una buena idea.

¡SABÍAS...

...Cuál es la diferencia entre un psiquiatra y un psicoterapeuta?

El primero es médico. Por lo tanto, en Francia, el importe de sus consultas lo reembolsa la Seguridad Social. Puede recetar medicamentos. La duración de la entrevista oscila entre 15 y 30 minutos. El segundo presenta la ventaja de tener, por lo general, un abanico más amplio de soluciones no medicamentosas. Las consultas duran alrededor de una hora, pero su coste no lo asume la Seguridad Social en Francia.

No los consultes a la fuerza, pero si tienes, como imagino, necesidad de hablar, no lo dudes.

Sigue una terapia energética

Ha llegado el momento de barrer para casa.
«¿Pero eso qué es?», me dirás, querido lector. Si practicas algún tipo de actividad basada en las tradiciones de Extremo Oriente o de la India, sabrás de qué hablo. Si no, intentaré explicártelo de forma rápida y sencilla.

Todos poseemos un cuerpo energético, una especie de fluido invisible por donde circula el *qi* (o *chi*), la energía vital. Este término lo encontramos en el *qi* gong (o *chi kung*), en el tai**chí** e, incluso, en el aikido. La falta de armonía de este cuerpo energético es, según la tradición de algunas culturas, la causa de nuestros fallos a nivel físico y psíquico. El trabajo con este cuerpo energético permite recuperar el equilibrio, tomar distancia de los sucesos estresantes y alcanzar poco a poco el bienestar.

La terapia energética tiene también en cuenta las situaciones pasadas, presentes y futuras, tanto en el plano personal como en el profesional. Para librarte de las crisis de angustia, el terapeuta debe saber lo que has vivido a fin de trabajar con más precisión.

Siempre empiezo realizando dos sesiones, con dos semanas de intervalo. A continuación, el paciente me llama tres semanas después para darme noticias suyas y hacer balance de su situación. Ese lapso de tiempo le permite practicar los ejercicios contenidos en este libro.

Hemos llegado al final de la cuarta etapa. Aquí están las seis claves que debemos recordar:

1. Escribe un diario. Cada día escribe sobre tus dudas, tus miedos y tus expectativas, sin tabúes. Apunta también tus alegrías y tus éxitos.

2. Medita. Cada dos días, durante 15 minutos, concédete un momento de serenidad. Sentado en el suelo, con las piernas cruzadas, o en una silla, concéntrate, sin hacer esfuerzos, en tu respiración.

3. Toma el Rescue de las flores de Bach. Mejor en gotas o en pastillas, como complemento de los demás ejercicios. Si se te olvida un día, no te preocupes y aplica los otros consejos.

4. Sé amor. Dirige una mirada positiva, llena de compasión, empatía y amor, hacia ti mismo y hacia las personas que se cruzan en tu camino. Un cielo gris puede ser magnífico. Todo depende del punto de vista.

5. Consulta con un profesional. Si sientes la necesidad, da el paso. A veces es bueno hablar con una tercera persona, ajena a la situación, que no va a juzgarte.

6. Sigue una terapia energética. Para ayudarte a tomar distancia y comprender mejor por qué has llegado a esta situación, el terapeuta aplicará conceptos milenarios sobre la serenidad, la escucha y la compasión, con el fin de acompañarte en la búsqueda del bienestar.

CAPÍTULO 8

ETAPA 5:
DESCONFIAR DE LOS FALSOS AMIGOS

«Hasta la ostra tiene sus enemigos.»
Aléxei Tolstoi

Después de haber pasado revista al plan de acción, ha llegado el momento de conocer a los falsos amigos: los hábitos que, en apariencia, son una ayuda cuando, en realidad, agravan la situación.

Aunque disfrutes de su compañía, son nocivos para ti. Evítalos al máximo durante el periodo en que sufras las crisis, ¡e incluso para el resto de tus días!

Vamos a comenzar por el más famoso de todos.

El tabaco

No voy a soltar un gran discurso sobre el riesgo de cáncer. No es la finalidad de este libro.

En cambio, puedo afirmar que te estás intoxicando y que eso no favorece tu curación. Recuerda el consejo sobre los hábitos alimentarios (véase la página 69). El tabaco destruye el cuerpo y el cerebro.

Sientes que te invade la angustia y enciendes un cigarrillo con la esperanza de calmarte. Es un error. Para aspirar el humo, te ves obligado a hiperventilar, lo que provoca un desajuste de tu respiración natural. Tu corazón se acelera… y ya sabes lo que viene a continuación.

Estás asfixiando al mismo tiempo los bronquios y los pulmones. En esta fase, para no añadir un estrés suplementario a la crisis de angustia, no te pediré que dejes de fumar, sino que no te fumes un cigarrillo cuando te sientas mal, y mucho menos cuando tengas una crisis de pánico.

> **¡ATENCIÓN!**
>
> No hace falta mencionar el cannabis, que posee virtudes muy interesantes bajo control médico, pero, sin duda, no la de ayudarte a luchar contra las crisis de angustia. La esquizofrenia forma parte de las posibles consecuencias de su consumo regular, así como la sobreexcitación, por citar solo dos. Esta planta no hará más que agravar la situación.

El alcohol

Podrías pensar que el consumo de alcohol, que te relaja y te desconecta ligeramente de la realidad, es un alivio. En realidad, estás huyendo de una situación que te volverás a encontrar de forma idéntica, aunque el consumo sea mínimo. El gran peligro es la dependencia que crea.

Te tomas una copa. El estrés parece disminuir de intensidad. Se pasa el efecto. Te tomas otra, etc. Así vas derecho a la ruina.

De este modo no resuelves nada. Ocultas tu angustia como un niño que, cuando se tapa los ojos con las manos, cree que no lo ven.

Si consumes alcohol en exceso, no solo las crisis no disminuirán, sino que, además, te expones a graves problemas de salud.

El chicle

Si tecleas «chicle y estrés» en Google, encontrarás numerosos artículos que alaban sus cualidades para aliviar el estrés.

Si profundizamos, por ejemplo, leyendo hasta el final algún estudio científico, nos queda una cosa clara: en el mejor de los casos, nadie afirma de forma categórica los efectos positivos o negativos del consumo del chicle sobre el estrés, y mucho menos sobre la angustia. En el peor, se ha demostrado que produce un aumento de la tasa de cortisol, la hormona del estrés, en función de la naturaleza de las tareas que se realizan.[*]

Abstente de masticar chicle. No es el momento de convertirte en cobaya de un mercado que genera quinientos millones de euros al año solo en Francia. Si te gusta el chicle, espera a no tener crisis y consúmelo de forma razonable.

El deporte en exceso

Ya lo he mencionado, pero se trata de una cuestión importante. No practiques una actividad deportiva durante más de 30 minutos al día (véase la página 81).

[*] «The Contrasting Physiological and Subjective Effects of Chewing gum on Social Stress», Coventry & Cardiff Universities. UK.

EN RESUMEN

Recuerda que debes evitar estos falsos amigos:

■ **El tabaco.** En lugar de tragar veneno, inspira y espira aire puro de forma consciente.

■ **El alcohol.** Un vaso de vino tinto a la hora de comer será suficiente. No te dejes engañar por la falsa sensación de relax. ¡Consumir con moderación!

■ **El chicle.** Desconfía de él. No lo mastiques cuando estés angustiado.

■ **El deporte en exceso.** Espera un poco antes de esculpir ese cuerpo de ensueño. O moldéalo con pequeñas sesiones de 30 minutos.

CAPÍTULO 9

ETAPA 6:
LA VIGILANCIA
DESPUÉS DE LAS CRISIS

«El precio de la libertad es la eterna vigilancia.»
Thomas Jefferson

Las crisis de angustia han desaparecido. En caso contrario, te prometo una gran victoria si sigues con constancia y regularidad el programa de este libro.

Veamos juntos cómo plantearse la vida cuando se han sufrido crisis de angustia y de pánico. Además, encontrarás en este capítulo los últimos consejos, desordenados, que te permitirán avanzar y continuar tu camino con serenidad.

No bajes la guardia

Aprende la lección de este periodo de tu vida tan desagradable, no repitas los mismos errores.

Suprime, en la medida de lo posible, las causas de la ansiedad. Si es imposible, aléjate de las personas tóxicas, toma distancia y frena tu ritmo de vida.

Si has vivido un choque emocional importante, como un duelo o una separación, pide ayuda a tus seres queridos o acude a un psicólogo. Saca de un modo u otro la pena y la angustia. Escribe tus miedos en un diario. Practica los ejercicios que hemos visto juntos.

EN LA PRÁCTICA

- **Practica todos los ejercicios de coherencia cardiaca** (véase la página 63).
- **Ten unos hábitos de vida saludables.** Un buen descanso, una alimentación sana y un poco de deporte son tus mejores aliados.
- **Sé positivo en la vida.** Es un entrenamiento permanente. Quítate de la cabeza esas nubes grises cargadas de lluvia. Piensa, con una gran sonrisa en los labios, que los caracoles disfrutan con el agua.

- Por la misma razón, rodéate de **personas positivas.** No te conviertas en una oficina de reclamaciones.
- En cuanto aparezca un pensamiento estresante, apúntalo en tu diario.

Al principio estarás obsesionado por el miedo a que se produzca una nueva crisis. A diferencia de la primera vez, ahora ya sabes lo que hay que hacer para evitarla. Tienes las herramientas a tu disposición. Utilízalas de inmediato.

Ten una actitud vigilante y razonable

No caigas en los excesos como si salieras aliviado del dentista y te precipitaras sobre una bolsa de caramelos. Si has perdido diez kilos, no sería razonable ir todos los días a un establecimiento de comida rápida. Las crisis han terminado. No las alimentes y todo irá bien.

El agua, una gran amiga

Toma todos los días en ayunas un gran vaso de agua templada. Calienta el agua en un cazo o en un hervidor.

Cada tres días, añádele el zumo de medio limón biológico. Esta sencilla pócima, utilizada en la medicina ayurvédica de la India, sirve para desintoxicar el hígado, que es la sede de las emociones.

¿...«Vorticear» el agua?

¿Qué es esta cosa tan rara? El agua, de manera natural, fluye formando remolinos (también llamados vórtices) y no de manera rectilínea. Si realizamos un ligero movimiento de rotación cuando echamos el agua de una jarra en un vaso, la dinamizamos y oxigenamos. «Vorticear» consiste en devolverle ese movimiento natural de rotación. Existen pequeños aparatos, poco costosos, que lo hacen muy bien. Teclea las palabras «vórtice para agua» en tu buscador de Internet preferido para ver cómo son. Después, si alguna tienda de los alrededores los vende, te aconsejo que te compres uno.

¿Cómo convertir el agua en uno de nuestros mejores aliados?

Puedes «informar» al agua previamente. ¿De qué se trata? En las botellas de agua mineral o en la jarra (mejor con filtro), escribe palabras positivas con un rotulador, directamente en la botella o en la etiqueta. Añade pegatinas que representen para ti la felicidad: corazones, mariposas, un sol, una foto de tu suegra… En mi caso, filtro el agua en una jarra cuya marca no puedo citar y luego la paso a un termo que la magnetiza y la «vorticea» para devolverle sus propiedades naturales. En la jarra, he escrito palabras con rotulador: «Amor», «Alegría», «Serenidad», «Felicidad» y he puesto pegatinas (pero no la foto de mi suegra, ¡espero que me perdone!).

Ejemplo

¿Por qué decir o escribir palabras agradables al agua? Un japonés llamado Masuru Emoto estudió el impacto de las palabras, la música y los pensamientos en el agua. Después fotografió las formas que adoptaban los cristales de agua congelados. Demostró que, cuanto más positivo es el impacto —como el de las palabras de amor, por ejemplo—, más bella es la forma de los cristales. También ocurre a la inversa. Cuando enviaba mensajes de odio, los cristales tomaban formas alteradas.

Recuerda que es mejor ser amable con el agua que bebes y… contigo mismo, ya que, como sabes, en función de la edad, ¡el cuerpo humano contiene entre un 62% y un 78% de agua! ¿Prefieres un cuerpo lleno de cristales repulsivos o de auténticas obras de arte? Ahora te toca a ti: ¡demuéstrale al agua cuánto la quieres! Si tu pareja se pone celosa, explícaselo. Puedes encontrar vídeos en Internet. El sitio oficial de Masuru Emoto es **www.masaru-emoto.net.**

En resumen, como habrás podido comprender, la calidad del agua tiene un impacto en nuestro estado físico y emocional. Cuando prestamos especial atención a su empleo, nos fortalecemos.

La magia blanca o negra de Internet

Me encanta Internet. Me permite comunicarme con rapidez, formarme y encontrar información en un instante; en pocas palabras, es una excelente herramienta cuando la dominamos y tenemos conciencia de sus límites.

En lo que a ti respecta, no te aconsejo que hagas una búsqueda de las expresiones «crisis de pánico» o «crisis de angustia». Encontrarás miles de testimonios de personas de todo el mundo, cada uno con sus sabios consejos. Después de una hora de lectura, estarás a punto de que te dé un infarto y lo único que te quedará claro es que se trata de algo muy grave y que tu vida se va a convertir en un infierno. Para tu tranquilidad, si tecleas el nombre o los síntomas de cualquier enfermedad, el resultado es el mismo. Y tu nivel de estrés va a dispararse.

Evita esta tentación. Si estás enganchado a Internet, busca mejor algún vídeo sobre la coherencia cardiaca. Podrás respirar con calma mientras contemplas las olas del mar. Será mucho más productivo.

Un poco de lectura

Hacia la paz interior, de Thich Nhat Hanh

Se trata de un pequeño libro de gran riqueza, escrito por uno de los hombres más sabios de nuestro tiempo. Thich Nhat Hanh es un monje budista y maestro zen que trabajó mucho por la paz durante la guerra de Vietnam. Martin Luther King lo propuso para el Premio Nobel de la Paz. En esta obra, explica cómo aprovechar el instante presente en la vida cotidiana. En lo que a tu angustia se refiere, por lo general vives con un miedo permanente a lo que va a ocurrir. «¿Cómo voy a ir?», «¿Cómo voy a hacerlo?», etc. Te proteges de situaciones que no se han presentado aún. Este libro te ayudará a sacar provecho, con facilidad, en las tareas cotidianas, del momento presente.

Una meditación relajante

Me parece escuchar: «Otra meditación, estoy hasta el gorro». Es cierto que en la actualidad se ha extendido la meditación como una auténtica moda y que, de tanto oír hablar de ello, algunos lectores pueden sentir cierto rechazo. Lo cual es una lástima, porque la meditación es una herramienta extraordinaria para serenarse y recuperar el equilibrio, entre otras virtudes. Si tiene tanta aceptación en la actualidad, no se debe al placer de que te duelan las rodillas cuando te pasas una hora sobre un cojín mirando la pared. Ya verás cómo esta sencilla relajación te ayudará a recuperarte de las crisis y a superarlas mejor.

En la práctica

Puedes hacer la meditación sentado o tumbado. No te preocupes. No se trata de levitar como un lama de las montañas. La postura o el lugar son lo de menos. Lo importante es practicarla con regularidad. Como mínimo, tres veces por semana en caso de crisis. Solo una vez, con carácter preventivo.

A continuación, te proporciono el texto. Puedes imaginarte la escena o grabarlo.

Con los ojos cerrados.
Respiro con calma.
Mi cuerpo está relajado.
Estoy de pie, en medio de un campo de trigo dorado.
Vestido con ropa ligera.
Descalzo.
Es verano.

El cielo es azul.
Hace un día magnífico.
Una ligera brisa me acaricia la cara y el pelo.
Sentir el sol en la piel me reconforta.
Mis manos rozan las suaves espigas.
Miro a mi alrededor.
Veo el horizonte por todas partes.
No hay casas ni obstáculo alguno.
Estoy solo y tranquilo.
Camino por el campo.
Sonrío.
Todo va bien.
Sigo caminando mientras cuento del 10 al 1.
Me tomo mi tiempo.
10, 9, 8, 7, 6, 5, 4, 3, 2 y 1.
Ahora voy por un camino de tierra entre dos campos de trigo.
Avanzo despacio disfrutando de cada instante.
Los rayos del sol me acarician la cara.
Me miro los pies.
El suelo es suave como el algodón.
Levanto despacio la cabeza.
Veo ante mí la entrada de un bosque.
Los árboles son altos, hermosos y robustos.
De un verde muy intenso.
Entro en el bosque.
El camino se ensancha.
El sendero principal está bordeado de árboles magníficos.
Me protegen.
Estoy completamente a salvo.
Camino erguido.
Observo los helechos, el brezo y las flores de colores
*   brillantes.*
Todo me parece precioso.
Piso el musgo.
Camino unos metros más.

Llego a un hermoso claro.
En el centro se encuentra una escalera de diez peldaños.
En lo alto de la escalera hay una puerta cerrada.
Empiezo a contar del 10 al 0.
Me quedan diez peldaños por subir.
Pongo el pie en el primer escalón, 9.
Subo por la escalera.
8, 7, 6, 5, 4, 3, 2, 1 y 0.
Estoy delante de la puerta.
Al otro lado se encuentra mi refugio.
Un lugar donde me siento profundamente bien.
Me lo imagino.
Una playa magnífica, un campo cubierto de verde, una
    montaña nevada, un lugar producto de mi imaginación o el
    interior de una casa, da igual. Me dejo guiar por mis deseos.
Empujo la puerta.
Entro en mi refugio.
La puerta se cierra detrás de mí.
Me siento bien, tranquilo, sereno.
Me paseo por el lugar que he elegido.
Me quedo allí unos minutos.
Mi cuerpo y mi mente están en calma.
Me dirijo hacia la puerta.
Sé que podré volver cuando lo desee.
Recorriendo el mismo camino.
Abro la puerta,
que se cierra detrás de mí.
Bajo por la escalera contando los peldaños del 1 al 10.
1, 2, 3, 4, 5, 6, 7, 8, 9 y 10.
Ahora camino por el musgo.
Salgo el claro.
Tomo el hermoso sendero.
A unos metros de distancia distingo la salida del bosque
    inundada de luz.
Salgo del bosque.

Tomo el camino entre los campos de trigo.
Abandono el camino.
Estoy de nuevo rodeado de espigas de trigo hasta donde
   alcanza la vista.
Cuento despacio, mentalmente, del 1 al 10.
1, 2, 3, 4, 5, 6, 7, 8, 9 y 10.
Abro los ojos.
Me siento bien, sonriente y descansado.

Puedes practicar esta relajante meditación cuando lo desees. Al cabo del tiempo, te darás cuenta de que cada vez llegas con más rapidez a tu refugio. De este modo, conseguirás alcanzar un estado de bienestar con más facilidad y prontitud.

Un poco de música

A continuación, tienes una serie de pistas musicales que pueden acompañar de manera agradable la práctica de la meditación. Es la lista de reproducción que utilizo en las sesiones dirigidas en mi gabinete:

- *108 Sacred Names of Mother Divine* de Craig Pruess & Ananda
- *Frequencies Sounds of Healing* de Jonathan Goldman
- *Indian Serenity* de Kiran Murti's group
- *Sacred Chants of Buddha* de Craig Pruess
- *Sacred Chants of Shiva* de Craig Pruess
- *The Lost Chord* de Jonathan Goldman
- *Crystal Bowls Chakra Chants* de Jonathan Goldman
- *Healing Music for Ayurveda* de Hariprasad Chaurasia
- *Dewa Che* de Dechen Shak-Dagsay
- *Zen Meditation* de Tony Scott

- *Maha Mrityunjaya Mantra* de Hein Braat
- Snatam Kaur
- Christopher Lloyd Clarke
- Liquid Mind

Tu renacimiento

¡Enhorabuena! El combate ha terminado, porque has ganado o estás muy cerca de la victoria.

Gracias por haber seguido este plan de batalla con tanto rigor y motivación.

Has tenido que combatir sin tregua contra un enemigo invisible y sumamente perverso. Pero ahora ya conoces sus puntos débiles. Gracias a esta ventaja innegable, podrás plantarle cara de inmediato en caso de necesidad y derrotarlo en el momento.

No era nada fácil, pero lo has logrado gracias a tus ganas de recuperar tu vida «de antes».

Disfruta de la vida y abre los ojos. Recuerda que, no hace mucho, no podías pasar por esa calle, y ahora la cruzas con una sonrisa, incluso sin entender cómo podía darte tanto miedo.

¡Que esta nueva vida, llena de alegría, te dure muchos años!

¡Te deseo un hermoso renacimiento!

ETAPA 1 Preparación	ETAPA 2 Urgencia	ETAPA 3 Consolidación
■ Confirma el diagnóstico con un médico. ■ Mantente muy motivado. ■ Busca el origen de tu angustia. ■ Busca entre dos y cinco personas de apoyo. ■ Acepta los síntomas.	■ Insulta a la angustia. ■ Mantente erguido. ■ Conéctate a la Tierra cada mañana durante 30 segundos. ■ Practica la coherencia cardiaca tres veces al día durante 5 minutos. ■ Descansa. ■ Cuida tu alimentación. ■ Sal de casa todos los días.	■ Practica deporte tres veces por semana durante 30 minutos. ■ Escucha un CD de relajación guiada cada dos días. ■ Crea un anclaje de bienestar. ■ Identifica las causas de la angustia. ■ Evita el origen del estrés.

ETAPA 4 Otras herramientas	ETAPA 5 Falsos amigos	ETAPA 6 Vigilancia
■ Escribe un diario. ■ Medita 15 minutos cada dos días. ■ Toma el Rescue de las flores de Bach. ■ Sé amor. ■ Consulta con un profesional. ■ Consulta con un terapeuta energético.	■ Tabaco ■ Alcohol ■ Chicle ■ Deporte en exceso	■ Practica la coherencia cardiaca todos los días. ■ Escucha un CD de relajación guiada una vez por semana. ■ Practica deporte durante 30 minutos, como mínimo una vez por semana. ■ Ten una buena alimentación. ■ Evita el exceso de actividad. ■ Sé amor. ■ Escribe un diario. ■ ¡Ríete! ■ Medita si te gusta.